CouRtS!
toujours!

Le baiser

Leïla Sebbar

HACHETTE Jeunesse

Directrice de collection :
Évelyne Hiest.

Leïla Sebbar est née en Algérie, d'un père algérien et d'une mère française. Elle vit à Paris, où elle collabore à des revues littéraires et à France-Culture (*Panorama*, *Antipodes*, etc.). Elle a publié des essais, des romans, des nouvelles. Entre autres : la trilogie romanesque, *Shérazade : Shérazade, dix-sept ans, brune, frisée, les yeux verts* (1982, 1984, Éditions Stock), *Les carnets de Shérazade* (1985, Éditions Stock), *Le fou de Shérazade* (1991, Éditions Stock) ; *J. H. cherche âme-sœur* (roman, 1987, Éditions Stock) ; *Le silence des rives* (roman, 1993, Prix Kateb Yacine, Éditions Stock). Des essais, dont : *Lettres parisiennes, Autopsie de l'exil*, avec Nancy Huston (1986, Éditions Bernard Barrault). Des nouvelles : *La négresse à l'enfant* (1990, Éditions Syros), *La jeune fille au balcon* (1995, Éditions du Seuil), *Une enfance algérienne*, recueil dirigé par Leïla Sebbar (1997, collection Haute Enfance, Gallimard). Certains de ses livres ont été traduits en plusieurs langues (anglais, allemand, italien, néerlandais, arabe).

Leïla Sebbar s'intéresse depuis de nombreuses années à l'exil et à ses effets. Exil vécu à travers les migrations liées aux violences de l'histoire des décolonisations et de l'histoire contemporaine. Ces migrations successives, ces relations passionnelles entre le Maghreb et la France, l'Orient et l'Occident, relations d'amour et de haine, inspirent depuis ses premières fictions sa production romanesque. Ce travail littéraire sur la mémoire et l'oubli dans l'exil, sur le croisement des histoires familiales, individuelles et de l'Histoire, Leïla Sebbar le poursuit depuis *Fatima ou les Algériennes au Square* (1981, Éditions Stock) et la trilogie romanesque de *Shérazade*, jusqu'à ses derniers livres : *La jeune fille au balcon* (1996, Éditions du Seuil) et ce recueil de nouvelles.

Monologue
du soldat

.

Mon père assis sur un éclat de roche.

Du haut de la colline sèche, il regarde au loin, par-delà le village. Ce village n'est pas son village. Il n'est pas revenu dans la maison de sa mère, il ne sait pas si la maison tient debout, si le toit reste entier, si les murs ne sont pas fendus. Un commando l'aura peut-être fait sauter, comme les maisons de ce village en ruine et vide, au pied de la colline.

Mon père ne m'a rien raconté.
Mon père ne m'a pas parlé.

Je le vois, chaque matin, assis sur le banc de bois, contre le mur de la maison

Leïla Sebbar

construite à la hâte, dans le camp forestier. Ma mère sert le premier café dans la tasse bleue, la tasse de mon père. Il dit merci et boit son café seul, à petites gorgées, lentes, en silence.

J'ai écouté ceux qui parlaient encore. Les femmes autour du point d'eau du camp, les jours de lessive lorsqu'elles étendaient le linge, sur le terre-plein où se croisent les fils de fer mal tendus, dans les chambres des fêtes, les chants et les danses, les rires étaient traversés par les mots de la guerre, elles faisaient comme si ces mots échappaient à leurs bouches joyeuses, elles pensaient qu'elles seraient les seules à les entendre. J'avais sept ans, je pouvais encore rester avec les femmes et les filles dans les chambres où elles bavardaient sous surveillance, parce que les hommes occupaient d'autres pièces, tout près, mais séparées par une cour étroite ou un couloir, les jours de pluie.

Je n'ai pas compris les mots éclatés qui se dispersaient d'une bouche à l'autre,

Leïla Sebbar

dans le désordre. J'avais sept ans, je ne savais pas encore que ce pays n'était pas le pays de mon père, que ce camp forestier, il ne l'aimait pas parce que c'était « le camp de la honte » comme je l'entendais dire entre les pièces de linge, les femmes se parlaient sans se voir, elles parlaient beaucoup et moi, caché entre les draps, j'écoutais sans comprendre, je n'ai pas oublié, elles répétaient entre elles : « Le camp du châtiment... C'est Dieu qui l'a voulu. »

Ainsi, mon père, chassé de son pays, avait décidé de s'asseoir et il n'avait plus bougé, il n'avait plus parlé. Il n'était pas vieux, mais il vivait comme un vieux, sans même jouer aux dominos avec les autres vieux Harkis du camp.

Il fumait.

Il roulait ses cigarettes, il avait tout le temps, il prenait, dans une boîte en fer où ma mère les rangeait, les fines feuilles à rouler, les brins de tabac dans une poche cousue à la main, de la toile à matelas solide, et il roulait sa cigarette, soigneux, attentif, j'ai appris en le regardant. Aujourd'hui dans ce camp de fortune où je me trouve avec d'autres soldats, je roule mes cigarettes comme mon père, mais le papier, je ne le tire pas du bloc ZIG-ZAG « Le Zouave », le jaune ou le bleu, avec une tête de zouave qui fume. Moustache et barbe noires, bonnet rouge, je revois exactement ce zouave « le meilleur ami du fumeur » et les textes à l'intérieur du bloc. Je m'asseyais près de mon père, je lisais à haute voix, il ne m'empêchait pas de le faire si je ne touchais pas au papier « extra-blanc », « superfin ». Je lisais le jaune, à l'intérieur :

Ce cahier convient aux amateurs de cigarettes légères. Si vous les préférez fortes et à combustion lente, adoptez notre cahier 601 bis à couverture bleue superfin.

Puis le bleu :

La supériorité de ce papier à cigarettes fabriqué avec des fibres de pur lin est due au choix exceptionnel de nos matières *premières et à nos procédés techniques spéciaux. Il doublera votre plaisir de fumer.*

Je lisais encore :

Production Braunstein Frères Paris.

Je ne sais pas si mon père écoutait. Il ne me demandait pas de me taire, il ne me disait pas que je lui avais déjà lu plusieurs fois ce que je relisais. Je peux, à l'instant, redire par cœur ces textes, les réciter à voix haute, pendant que nous sommes là, soldats casqués de bleu, pour protéger des civils que nous n'avons pas encore vus, sinon à l'image, au moment du journal télévisé.

Mon père ne savait pas lire.

Quand j'ai voulu lui lire le journal, il a dit non. Il disait non pour la télévision, j'allais la regarder chez des cousins. Il n'écoutait pas la radio, seulement une cassette, toujours la même, de la musique militaire qu'il interrompait avec le chant des partisans dans la langue de son pays. Ma mère ne lui disait plus de baisser le son, elle redoutait ses hurlements.

Leïla Sebbar

Je n'avais plus sept ans.

Les mots de la guerre, répétés par les femmes, je ne les ai pas oubliés. J'écoutais les hommes, ceux qui parlaient encore lorsqu'ils jouaient aux dominos, ceux que j'accompagnais dans la forêt pour faire le bois, ils bavardaient à la pause, assis sur des cailloux, sur des troncs d'arbres autour d'un feu, l'hiver, il faisait froid dans les forêts, aussi froid que dans ces camions militaires bâchés qui roulent vers la ville assiégée, Sarajevo. Les mots des hommes, d'une langue à l'autre, n'étaient pas ceux des femmes, ce n'était peut-être pas la même guerre ? Je ne posais pas de questions. Ils n'auraient pas répondu. Je recueillais les mots, je les associais aux mots des femmes, récoltés entre les rires et les linges étendus. Les secrets de la guerre, les femmes et les hommes du camp forestier les voulaient secrets, je les ai surpris dans la confusion. Je savais

Leïla Sebbar

qu'il me fallait absolument les retenir dans l'ombre des bois et des draps frappés par le mistral. Combien de pages mentales, clandestines ? Je ne voulais pas les écrire, il me semblait que j'aurais trahi ou que le sens se serait ainsi perdu. Les mots de la guerre qui avait enfermé mon père dans le camp forestier où il entendait les cigales étrangères comme des ennemis, ces mots ont raconté une histoire que je ne veux pas écrire aujourd'hui, tant que je suis encore un soldat dans la guerre des autres. Je ne sais pas quand je l'écrirai, ni si je l'écrirai, l'histoire de mon père captif.

Les mots étranges des femmes et des hommes m'ont conduit à la photographie, cachée sous un carreau descellé, recouvert d'un tapis tissé par la mère de mon père, si usé que je ne sais pas en dire les couleurs. Ma mère l'avait glissée là, dans une enveloppe récupérée dans le désastre, le tampon de la poste était encore lisible. Elle datait de cette guerre qui avait fait taire mon père. Et je suis dans ce pays divisé, un pays que je ne connais pas, pour éviter à des hommes qui se battent de vivre dans le silence de la folie ? Je peux seulement rouler une cigarette avec les gestes de mon père, en route vers la ville affamée, bombardée par des hommes qui ont été les frères de ceux qui meurent. Je ne dirai pas ce qu'il advient des combats fratricides, des maisons familières qui sautent, des voisines et des cousines violées par les voisins et les cousins... Qui m'écouterait, qui m'entendrait ? Qui ? Les enfants de Sarajevo, plus tard, ces enfants sauront, comme j'ai su, pour le malheur de mon père. Ils liront ce que j'aurai peut-être écrit, et ils sauront lire ce que j'aurai enfin réussi à écrire. Moi aussi je raconterai Bosko le Serbe et Admira la Musulmane, je ne les ai pas vus, j'ai lu dans les journaux, la mort au hasard, des amants frères et ennemis. Des enfants de la ville me parleront et je leur

Leïla Sebbar

parlerai, si notre camion pénètre dans la ville même.

Sur la photographie, mon père est assis. Il porte l'habit et le calot de l'armée régulière. Il est assis sur un bloc de pierre lisse, au sommet d'une colline. Il tient un fusil sur ses genoux. Il est tranquille. Il regarde au loin. On voit son visage de trois quarts. Il est jeune. Ma mère m'a dit qu'il avait une belle moustache noire épaisse et drue. Il n'est pas encore vieux, sur le banc du camp, mais sa moustache est grise. Il l'entretient avec soin, chaque jour. Je le regardais, il ne me chassait pas.

Mon père, habillé en soldat, s'est battu contre les siens. Je le sais. Je ne l'ai pas toujours su. Devant lui un paysage à l'infini et au pied de la colline, un village dévasté. On a fait sauter les maisons, il reste quelques murs de pierre sèche, éboulés, d'autres rasés, ni bête, ni homme, femme, enfant. Ils ont été abattus ? Ils se sont réfugiés dans les collines alentour ?

Monologue du soldat

Dans les bois ? Qui les aurait évacués, comme on le tente aujourd'hui dans ce pays en guerre, où je dois veiller avec d'autres à l'acheminement des vivres.

Je suis un soldat de la paix, dans la guerre. C'est ce que je crois. Mon père a peut-être cru, lui aussi, qu'il était un soldat de la paix dans la guerre des barbares.

Mon père faisait partie du commando qui a détruit le village de ses frères, dans la paix et dans la guerre ; je suis sûr que mon père était dans ce commando, peut-être même était-il à la tête de l'opération parce qu'il connaissait mieux que les officiers étrangers sa région natale ? Ma mère m'a dit que ce village n'est pas le village de mon père mais que cette région est sa région.

J'ai su qu'on demandait des soldats pour Sarajevo. Aujourd'hui, j'entre dans Sarajevo, saccagé. Ce que je vais faire, je le sais. Ce que j'écrirai, je l'ignore.

Leïla Sebbar

Monologue du soldat

Plus tard.

Je me suis engagé du côté des Bosniaques. Ma disparition a été signalée. On me recherche. L'armée n'a pas donné mon signalement dans la presse. Je me suis battu avec les partisans bosniaques contre l'armée d'occupation serbe. J'ai dirigé des opérations, j'ai instruit de jeunes civils qui venaient se battre. Beaucoup sont morts. Je n'ai pas eu le temps d'aimer la sœur d'un compagnon d'armes, entrevue lors d'une courte permission. Si je reviens dans ce pays après la victoire, si elle n'est pas mariée... si je ne suis pas tué au combat.

Encore plus tard.

La paix est signée. Les Bosniaques n'ont pas perdu. La Serbie n'a pas gagné. Je ne suis plus soldat.

Leïla Sebbar   19

Monologue du soldat

Les dernières maisons du camp forestier vont être rasées. On reloge les familles rescapées. Je suis revenu, juste avant l'expulsion, pour voir mon père assis sur son banc de bois. Il fumait une cigarette roulée. Je l'ai embrassé sur le front. Il m'a regardé, il m'a dit : « Mon fils, d'où tu viens ? »

Je n'ai pas répondu à sa question.

Je lui ai dit : « C'est Lisa, ma femme, la sœur de mon compagnon, mort à Sarajevo. »

Le baiser

.

Elle ne les cache pas.

Dans la chambre qu'elle partage avec ses deux sœurs ; l'une plus vieille, l'autre plus jeune, chacune a son tiroir. La commode est en bois blanc, ordinaire, du sapin ou du hêtre, pas le beau chêne sombre du coffre centenaire dans la maison ancestrale de la grand-mère maternelle, la maison sur la crête ; il neige en hiver. Le tiroir est profond, mais les secrets, on peut les surprendre, il ne ferme pas comme le coffre au village ; la grand-mère garde la clé contre ses seins, dans la robe qui fait des plis sur la ceinture de laine, la clé, l'argent, la dernière lettre du dernier fils, parti lui aussi ; il ne revient plus avec sa femme et ses filles, les petites ; les aînés elle les connaît à peine, ils refusent le pays de leur père, elle ne sait pas pourquoi. Son fils lui dit : « Ils ne sont pas venus. » Elle ne pose pas de question. Il ajoute : « Ils travaillent. C'est la saison des fruits et des tomates. Ils ramassent avec d'autres jeunes. Ils travaillent. » Elle touche la lettre contre le sein droit, le froissement du papier, la chaleur de la peau, elle sourit. Les nouvelles sont bonnes. L'instituteur a lu, pour elle seule, les deux pages écrites à l'encre violette. Il a bu le café sur le seuil de la chambre, ils se sont assis, et il a lu, lentement, de la langue étrangère à sa langue de la montagne, il a traduit, il a répété pour qu'elle se souvienne. Si elle ouvre la lettre, pliée en quatre, dans le bon sens, elle peut lire sans se tromper ce que sa petite-fille a écrit sous la dictée de son père, il est allé à l'école deux ans, après c'était la guerre, après le travail à la mine, la famille, les enfants, il a oublié, il n'a plus écrit, il ne sait plus, c'est sa fille Yasmine, celle qui aime l'école, qui écrit à la famille du pays et qui s'occupe des papiers.

Des papiers, des papiers, chaque jour dans la boîte aux lettres du bloc, des papiers à remplir. Sa fille a dit non pour l'assistante sociale qui s'est proposée à la mère : « Sept enfants et le dernier qui vient de naître, vous êtes fatiguée, personne pour vous aider, trois filles et quatre garçons, c'est pas les garçons... – J'ai ma fille, la grande, la deuxième, elle sait tout, la maison, l'école, la mairie, les papiers. Merci, merci beaucoup. – Mais, votre fille, à son âge, elle ne peut pas tout faire, à quinze ans, seize ans... – Elle a quinze ans et demi. – À cet âge-là, les filles ne restent pas toute la journée à la maison... Le ménage, la cuisine, le linge, les enfants petits et en plus l'école... Vous savez ce que c'est l'école ? – Non, mais je sais qu'elle travaille bien. – Il faut la

laisser vivre comme les filles de son âge.
– Elle regarde ce qu'elle veut à la télévision, son père ne surveille pas. – Oui, mais la télévision, c'est pas le cinéma, les discussions avec les jeunes... – Ma fille va pas dans la rue... – Elle ne vous demande pas de sortir un peu, de temps en temps ? – Non. Elle est contente comme ça. – Vous êtes sûre ? – Je suis sûre et certaine, je vous l'ai dit... La voilà, c'est elle, je reconnais quand elle met la clé dans la serrure, calme, tranquille, pas comme ses frères. »

Entre une jeune fille grande et mince, Yasmine, elle porte un foulard bleu outremer. Ses yeux noirs et rieurs interrogent la mère assise à la table familiale, les mains posées près du napperon confectionné sur les conseils de la voisine portugaise, au square de la cité. La voisine travaille loin, le bus, le train, le métro... Elle a le temps de faire ses napperons au crochet, elle les vend dans les blocs, c'est l'argent de poche des enfants. L'assistante sociale s'est levée : « Votre mère dit que... – Elle a raison. Ma mère a raison. Elle a dit non, moi aussi. Merci, madame. Si c'est nécessaire, un jour, on connaît le chemin. Merci encore, au revoir, madame. »

Au fond du tiroir, sous le linge intime que personne ne touche, pas même sa mère, c'est elle qui le lave, jamais en machine, à la main, le soir, quand elle n'entend plus la télévision et que les frères aînés ne sont pas encore rentrés, quand ils rentrent... Souvent, ils dorment ailleurs, où ? Qui le leur demanderait ? Elle a tenté une fois. « Tu te prends pour qui ? Tu travailles pour les flics ou quoi ? » Ils font ce qu'ils veulent, avec quel argent ? Elle ne cherche pas à savoir... Sous le linge intime de son tiroir, le deuxième, elle range ses foulards islamiques, c'est elle qui les lave et qui les repasse. Les couleurs qu'elle préfère, le bleu, le vert, le blanc. En voile de coton doux et léger. Jamais le même deux fois de suite. Après la prière du matin, c'est le temps du *hijeb*. Elle s'enferme dans la salle de bains et n'entend pas les frères qui frappent de plus en plus fort à la porte, malgré les protestations de la mère qui prépare les petits. C'est son temps. C'est sacré.

Chaque matin, elle attend le métro à la même heure. Assise sur le banc de bois grenat, la station n'a pas été rénovée, les sièges de plastique rouge, orange, bleu, séparés les uns des autres pour éviter le sommeil prolongé des vagabonds, n'ont pas encore remplacé les vieux bancs. Elle lit. Derrière elle, une affiche : un homme embrasse une femme.

De l'autre côté du quai, un jeune homme, le même depuis plusieurs jours, prend des photos. Elle ne le voit pas. Elle lit. Son foulard bleu la protège, comme leurs œillères en cuir les chevaux, elle ne regarde ni à droite ni à gauche. C'est à peine si elle lève la tête lorsque le train s'arrête. Dans le wagon, assise contre la vitre, elle lit, on la fixe du regard, parfois longtemps, le même, elle le sait, c'est imperceptible. Les yeux baissés obstinément, elle lit les caractères arabes que des voyageurs tentent de déchiffrer, debout contre son siège, si près, parfois, qu'un pli du *hijeb* frémit sur le cou ou l'épaule de cette fille qui lit sans jamais lever les yeux sur les voisins, ou qui fait semblant. Ses camarades de classe savent qu'il ne faut pas l'interpeller, même à l'intérieur du lycée. Elle ne veut pas entendre son nom crié, publiquement, n'importe quand. Son nom lui appartient, les autres ne doivent pas en faire mauvais usage. Qu'on ne l'appelle pas.

Seule, sur le banc, elle est assise. Derrière elle, l'affiche du baiser. Ce matin, le foulard est vert, la couleur que le

Prophète a le mieux aimée. Vert, comme l'eau de la rivière claire, limpide, profonde, l'été au village. Elle courait dès l'aube devant la vieille femme qui lui criait de l'attendre, jusqu'à la source, pour boire la première. Sa grand-mère disait : « L'eau du bonheur, l'eau du ciel et de la terre, l'eau la meilleure. Tu seras la plus belle, ma princesse, bois, prends l'eau dans tes petites mains sept fois et bois. Moi aussi j'ai été belle parce que j'ai bu l'eau pure à l'aube la première. » Elle donnait à boire à la vieille femme dans ses mains en coquille minuscule. « Bois, grand-mère, c'est l'eau qui rend immortel. Tu me l'as dit, bois. – C'est un conte, tu le sais, une histoire vraie dans un autre monde. Je te montrerai une photo de moi, je la cache à la maison. J'ai vingt ans. Le travail, les enfants, les champs m'ont volé la beauté. C'est l'eau de la source qui m'a rendue belle, c'est l'eau qui m'a raconté, chaque jour, le bonheur que je ne connais plus depuis longtemps. C'est elle qui m'a

Leïla Sebbar

fait croire à la beauté, à la pureté. Mais l'autre miroir, à la maison, suspendu à un clou, à peine assez grand pour qu'un homme voie son visage le matin, au moment de se raser, ce miroir m'a appris la vérité, que les jours et les heures et les saisons qui m'ont donné des enfants, ces jours, jour après jour, m'ont enlevé la beauté et la jeunesse, si bien que tu ne peux pas savoir que j'ai été belle, la plus belle du village, je dis ce qui s'est dit, jusqu'au moment où j'ai tout perdu, d'un coup, le mari que j'aimais et le dernier petit mis au monde dans la chambre maudite où je n'entre plus. J'ai gardé la photo, cachée dans un carré de soie verte. Une jeune femme étrangère me l'a donnée un matin où elle venait apprendre à tisser chez la voisine, elle m'a dit : « Tiens, c'est toi, je te la donne. Si tu avais été une petite fille, tu serais venue dans ma classe à l'école, en bas du village, et je t'aurais appris à lire et écrire. Mais tu es mariée, tu as un enfant, le premier fils, l'école... » C'était la maîtresse d'école. Elle est arrivée seule au village, sur une mule blanche, en pantalon et souliers d'homme. Les enfants ont cru à une apparition, un esprit mauvais pour nous, ils ont crié jusqu'à la place du village. Les vieux, les anciens, les hommes de l'assemblée de village ont écouté les récits désordonnés des enfants qui parlaient tous à la fois. La porte de l'école, fermée à clé depuis plusieurs années, s'était ouverte toute seule, et l'étrangère ou l'étranger, on ne savait pas si c'était un homme ou une femme, est entré sans descendre de la mule dans la maison d'école. On entendait les sabots de la bête sur le carrelage, elle a monté les escaliers jusqu'à la chambre, on a vu la bête et le fantôme qui regardaient le village, là-haut, par la fenêtre grande ouverte. D'autres avaient assisté au prodige du jardin en friche, soudain reverdi, et la mule paisible mangeait l'herbe, guidée par le cavalier ou la cavalière, en silence. La fontaine tarie s'est mise à couler et c'est ainsi qu'on a su que l'étranger était une étrangère. Elle est descendue de sa mule, a enlevé le chapeau de brousse, ici c'est la montagne mais elle portait un chapeau de brousse. Les cheveux ont roulé sur le dos et les épaules de la femme qui s'est penchée pour boire l'eau de la fontaine, au creux de ses mains, petites et blanches. Des cheveux comme les épis foulés par les chevaux à la saison des moissons. Des cheveux qui jetaient tout autour des éclairs de soleil. Et la chemise couleur de sable n'était pas plate devant. Une femme, seule avec une mule blanche qui entrait dans l'école interdite... Une voleuse, magicienne et sorcière qui voulait du mal à un village paisible... J'ai aimé cette femme. J'ai parlé avec elle, elle connaissait notre langue. Je n'avais pas de sœur, elle était ma sœur. Un jour elle est partie. J'ai pleuré, elle aussi. Elle a dit qu'elle reviendrait. Je ne l'ai pas revue. Elle reviendra et je serai morte... »

Le baiser

Le jeune homme, sur l'autre quai, photographie la fille au foulard vert. Elle lit. Le bruit discret de l'appareil ne parvient pas à ses oreilles sous le *hijeb*. Elle ne voit pas, elle n'a pas vu, derrière elle, la publicité géante, l'affiche du baiser. Elle ne regarde pas les publicités et si, malgré elle, l'image s'impose, elle oublie aussitôt. Un *hijeb* la protège jusqu'au-dedans de son cerveau, séparant la bonne mémoire de la mauvaise mémoire. À côté du jeune homme, deux voyageurs parlent ensemble. Une conversation agitée, des paroles échangées, rapides, violentes, dans une langue étrangère. Le jeune homme n'entend rien, ne voit rien, il photographie la jeune liseuse, assise, le dos contre le drapé luxueux d'une robe. Lorsque le train s'arrête, le jeune homme saute dans le wagon et, derrière lui, les deux étrangers, bousculés par des voyageurs pressés, manquent le train.

Elle reste longtemps devant le miroir de

Leïla Sebbar

la salle de bains, fermée à clé. Elle n'a pas oublié la photographie de sa jeune grand-mère, elle avait vingt ans, debout près de la maison entre les oliviers centenaires, elle portait deux foulards, peut-être trois, noués comme font les femmes de la montagne. Le *hijeb* ne dégage pas le cou, ni les oreilles. Les épaules doivent être couvertes, comme le front, les tempes et les joues jusqu'à la pommette. On ne doit pas voir la pointe d'un cheveu. Les siens, noirs, longs, bouclés, encombrent le *hijeb* qu'elle a de la peine à fermer, sous l'oreille gauche, avec la fibule ancienne de l'aïeule. Elle a choisi la mousseline blanche, légère. Pour l'ajuster exactement, elle recommence plusieurs fois le même geste, patiente. Le visage étroitement souligné, elle regarde le miroir, les yeux noirs, la bouche charnue. Elle ressemble à la jeune femme de la montagne.

Elle s'assoit, ouvre son livre et lit. Derrière elle, la même affiche. Le foulard blanc frôle les fleurs rouge sang de la robe relevée, sur la fesse ronde, délicate. Une femme est à plat ventre sur un divan, tronquée au-dessus de la taille. On ne voit ni le buste ni la tête. Un jeune homme embrasse la fesse nue offerte, il est jeune et tendre, amoureux. Il porte l'habit des libertins du XVIIIe siècle français. Une bague au petit doigt, de beaux cheveux bruns, il a dû jeter la perruque poudrée au pied du lit. Un baiser passionné, éternel, affiché depuis plusieurs jours, immaculé. Les tagueurs l'ont épargné.

Sur le quai, en face, exactement, le jeune homme photographie l'image du baiser et la liseuse enfermée, aveugle, sourde et muette. Il ne voit pas les deux hommes qui s'avancent vers lui, silencieux, déterminés. L'un à droite, l'autre à gauche, ils le saisissent, rapides et précis. Ils le traînent, hurlant, l'appareil rebondit sur le béton, ils disparaissent.

Elle n'a pas levé les yeux.

Elle n'a rien entendu.

Leïla Sebbar

Le baiser

La semaine suivante, les kiosques affichent les photos du jeune homme. Certains journaux ont intitulé la photographie : *Le baiser.*

La chambre

A-t-on raconté à la femme assise dans la chambre close l'origine étrange des fondateurs de Marseille ? A-t-elle voulu entendre la légende colportée, si ancienne qu'elle aurait douté de sa vérité ? On dit qu'un matin, avant le soleil, ou peut-être un soir, juste après son déclin dans la mer, à un moment du jour entre l'ombre et la lumière, dans le secret de l'aube ou du crépuscule, Vénus, la Grecque, apparut à un jeune marin occupé au filet de sa pêche. La déesse la plus belle, la plus rieuse, jeune pour l'éternité, surgie de l'écume, embrassa le marin étourdi... Ainsi, de ce baiser, naquit celui qui donnerait son nom à la ville...

Leïla Sebbar

La chambre

La femme assise aurait pensé : « Ceci est une fable », et on lui aurait raconté une autre légende, l'histoire d'un exil divin, heureux, fécondant la ville de tous les exils.

Elle est assise sur le vieux fauteuil de récupération qu'elle a recouvert d'une housse de grosse toile. Elle sait coudre. Sa mère, au pays de l'enfance, en Arménie, très loin de la ville où elle mourra seule, sa vie a été longue, longue... sa mère, dans la langue de l'enfance (elle ne l'a pas oubliée, elle rêve dans la langue maternelle), lui a tout appris. Sa fille serait une bonne épouse, une bonne mère, une bonne chrétienne ; dans la maison du village, elle sait déjà qui sera l'époux, l'homme pour sa seule vie. La mère a brodé avec elle le trousseau, les initiales en lettres rouges sur le linge de maison ; elle sait lire, écrire, compter, ce qu'il faut pour une maison prospère et de beaux enfants.

Leïla Sebbar

La chambre

Sur le mur lézardé de la chambre close, à Marseille, elle a tendu la dernière nappe blanche, usée, on voit à peine un *point d'épine* brodé en rouge. Elle se rappelle le linge marqué avec ses sœurs après les heures chaudes, sur le seuil de la maison, les chaises en rond, mères et filles, voisines jeunes et vieilles, comme elles riaient, comme elles chantaient, elles se disputaient aussi. Que sont-elles devenues ? Ses sœurs, elle sait, elles sont mortes au cours d'un massacre.

Lorsqu'elle n'avait pas encore décidé de s'enfermer dans la petite chambre du dernier étage, l'immeuble le plus vétuste du vieux quartier, elle s'arrêtait chez l'ami, il est peut-être mort, le tailleur ombrageux qui n'a jamais pu parler du pays natal, muet comme un orphelin. Elle restait là près de lui, c'est elle qui parlait, lui coupait et cousait, une machine Singer, premier modèle, la même depuis bientôt un demi-siècle. Il travaillait sous la lampe haute, parfois ébloui par le cristal biseauté qui bordait l'abat-jour. Elle parlait, il écoutait malgré le bruit, elle en est sûre.

Parfois, le brodeur oriental le plus fameux de la ville, celui qui dessinait des arabesques au fil d'or, venait voir le tailleur. Il racontait comme un malheur qu'il était le dernier brodeur, personne n'apprendrait son art, ses fils avaient dit non et ses petits-fils se cachaient pour rire d'un homme qui tient l'aiguille comme une femme, des enfants perdus, aussi impertinents que ceux qui crient dans les rues sales, sous le linge suspendu entre deux balcons et les tapis étendus sur la rampe d'escalier. « Les enfants nés de ce côté de la rive sont des enfants perdus », répétait le brodeur. Le tailleur sans famille ne disait rien et son ami poursuivait la lamentation, les filles élevées dans la maison et la religion la meilleure, il les voyait dans les ruelles, elles l'ignoraient ou elles riaient entre elles. De lui, il en est persuadé, à cause de sa calotte, il ne l'enlève jamais, et elles... Il fait chaud, l'été, c'est vrai, mais est-ce que leur mère et la mère de leur mère auraient ainsi marché dans des ruelles où on se touche lorsqu'on se croise, les épaules et les jambes nues, les chevilles serrées dans les lacets croisés des chaussures à hauts talons. Combien de femmes, jeunes et moins jeunes, se promènent dans le quartier du vieux port, dévergondées, sans pudeur...

À son vieil ami et au brodeur, elle parlait de ses peines et ces hommes l'écoutaient, des étrangers qui ne connaissaient pas sa langue d'enfance. Elle les a entendus bavarder et rire, son ami le tailleur n'était plus le même, elle ne comprenait rien, mais elle restait là avec eux, elle entendait ces voix bizarres comme portées par la tempête à certains moments... Ces hommes qui savaient garder le silence l'écoutaient mieux que ses voisines, bienveillants, attentifs, et jamais ils ne l'ont jugée.

Elle rappelait l'offrande des grappes de

raisin, le noir et le blanc, à la cérémonie religieuse, et les fêtes de mariage pour chacun des enfants. Sept. Cinq fils, deux filles, et pas un auprès d'elle. Ils ne savent pas qu'une mère meurt aussi ? Ils ne pensent pas qu'une vieille femme seule, assise dans la chambre close, pleure d'être seule pour sa mort, plus que pour sa vie même. Ils ont oublié qu'une femme a été là au premier jour, chaque jour que Dieu fait, chaque nuit, soucieuse de chacun, aimante malgré les cris. Et l'homme, le père de ses enfants, cet homme qu'elle a aimé là-bas et qu'elle n'a plus aimé dans la ville étrangère où il l'a laissée seule, un matin du mois de mai, seule avec les sept enfants, le dernier encore au sein. Il est parti. La dernière lettre disait qu'il ne reviendrait jamais. Il n'est pas revenu. Il est mort ? Les fils, l'aîné et le cadet, sont allés à la recherche du père, jusqu'en Arménie, dans ce pays qu'ils ne connaissent pas. Ils ont écrit qu'ils ne l'ont pas retrouvé, elle ne sait pas si c'est vrai, elle a pensé qu'il vit avec une femme et ils n'ont pas osé le dire. Les autres enfants ont quitté la maison, pour aller loin, après l'Océan, chez les Américains, et l'une des filles en Australie... Ils lui écrivent, qu'elle vienne les voir, ils ont de belles maisons avec un jardin, des enfants qui parlent déjà la langue de l'Amérique, ils ont envoyé des billets d'avion plusieurs fois, elle a dit non. Elle n'ira pas. Ses amis, le tailleur silencieux et le brodeur, s'étonnent, elle refuse l'Amérique et elle dit non au pays natal où vivent ses fils et la plus jeune de ses filles, ils lui ont réservé une grande chambre, dans la maison familiale, elle dit non, obstinée, et ils ne comprennent pas. Elle dit : « Je les ai mis au monde ici dans cette ville, c'est ma ville, aujourd'hui où je suis vieille, je veux mourir dans ma chambre, et j'ai ma place dans le cimetière marin que je connais, s'ils ne m'abandonnent pas, qu'ils viennent là où je vis, à Marseille, dans la ville où ils ont appris à marcher et à parler, avec les Arabes et les Nègres qui sont nés comme eux dans la ville de l'exil, leur ville natale, ma ville, après mon village, la première et la dernière, et même si l'histoire qu'on raconte, la déesse grecque et le marin qui se sont aimés..., est une fable, c'est une fable *vraie* que je raconterai aux enfants de mes enfants s'ils reviennent dans la ville, avant ma mort. »

Les billets d'avion, elle ne les a pas jetés, elle les a glissés sous le vieux poste de radio, le même depuis plus de quarante ans, le cadeau le plus beau. Elle l'écoute souvent la nuit, elle dort mal. Elle ne veut pas la télévision, c'était pour les enfants. Quand le dernier a dit qu'il allait chercher du travail au Canada, elle a cassé la télévision.

Les photographies de famille, elle les garde dans une boîte à chaussures sous le buffet. Sur la nappe qui a servi à sept mariages, celle qu'elle a accrochée au mur, elle a épinglé des photographies qu'elle trouve belles, découpées dans des journaux. Des images en couleurs de palmier (c'est l'arbre qu'elle préfère), des visages de jeunes femmes qui ressemblent à ses filles, une réclame Ricard, on voit un port. Quand elle se promenait encore, elle allait jusqu'au port, elle regardait la mer, les bateaux, elle ne s'est jamais assise à la terrasse d'un café. Elle se rappelle un bateau de pêche et deux hommes jeunes, vigoureux, des étrangers qui mangent. Ils sont assis, raides dans la combinaison en caoutchouc. Elle voit leurs mains, de belles mains que la mer n'a pas encore attaquées. Ils ont ce regard qu'elle reconnaît, le regard de l'exil, noir et mélancolique, de ces yeux qui attendrissent une femme. Ils ne voient personne. Elle pense que le soir, après le travail, ils iront chercher une femme, là où elle n'est jamais allée, dans la rue des marins et des putains.

Ce qui l'ennuie davantage, c'est la pendule ronde accrochée au mur, elle l'a gagnée à une foire en tirant à la carabine, ses amis ne l'ont pas crue lorsqu'elle leur a raconté son exploit, ils ne la voyaient pas un fusil contre l'épaule... La pendule ne marche plus depuis des années, elle ne l'a pas donnée à réparer, elle marque onze heures moins dix pour l'éternité, et ça l'énerve, elle ne peut pas expliquer pourquoi. Elle évite de la regarder mais elle est là, au milieu, ventrue et collée au mur, un arapède à son rocher. Peut-être un jour, à onze heures moins dix, quelqu'un qu'elle aurait pu aimer viendra la voir. Elle attend, tout en pensant qu'elle n'attend pas.

On frappe à la porte de la chambre.

La femme sursaute, se lève, écoute. Silence. Elle se rassoit, on frappe à nouveau, de petits coups discrets, la concierge est plus énergique. La femme se lève, se tourne vers la pendule qui marque toujours onze heures moins dix, elle regarde le petit réveil sur la table de chevet près du fauteuil, il est onze heures moins dix, exactement.

Leïla Sebbar

La chambre

Elle ouvre la porte.

Un jeune homme grand, blond, le teint sombre, la regarde, il lui sourit. Ses yeux sont noirs, légèrement bridés comme ceux de la femme. Il lui dit bonjour avec l'accent du Québec. La femme sourit, et conduit le jeune homme jusqu'à son fauteuil où elle l'invite à s'asseoir. Sur la seule chaise de la chambre, elle s'installe en face de lui, contre le fauteuil, elle prend ses mains dans les siennes et les embrasse.

Propreté de Paris

La vieille femme vient de loin.

Dès l'aube, attendre le car scolaire des derniers enfants du hameau abandonné, attendre l'autocar qui fait la navette jusqu'à la gare de la ville voisine, attendre le train « grandes lignes » parce qu'elle a deux heures d'avance, et se perdre dans le métro... Ses yeux usés ne lisent plus rien, demander aux voyageurs, aux guichetiers, ils s'impatientent, elle ne sait pas expliquer, à la fin, elle montre un papier sur lequel elle a noté le nom d'une rue, un arrondissement, comme le jeune Tsigane. Un morceau de carton crasseux, elle n'a pas réussi à lire les trois lignes qu'il lui a présentées, il y a à peine une heure, il a cru qu'elle refusait, il l'a insultée dans sa langue, elle n'a pas compris, mais elle a entendu l'injure.

Elle ira à pied, marcher, elle sait, des kilomètres s'il le faut, elle n'a jamais protesté. D'abord dans la forêt près de la maison d'enfance, il fallait aller longtemps, à toute heure, et revenir à la nuit, elle n'avait pas peur. Quand les frères aînés sont partis, elle allait seule, un bâton de buis à la main pour les chiens errants, sa mère la prévenait chaque fois contre les vagabonds, mais qu'aurait-elle fait, ainsi, non pas perdue, mais seule et pas très forte, si un inconnu l'avait agressée ? Les hommes absents, qu'est-ce qu'elle risquait ? Sa mère répétait qu'on ne sait jamais, un jeune homme qui se cache dans les bois pour échapper à la guerre, et qui a faim de pain et de femme. Elle n'était pas une femme, ni même une jeune fille, mais un homme traqué, à jeun... Toutes ces années, elle est allée en forêt avec le chien qui ne chassait plus. Le père a envoyé deux ou trois cartes postales de là-haut. D'abord il a dit que tout allait bien, il était content de voir du pays et des Nègres, il en avait jamais vu, même en photo, et là ils faisaient la guerre avec lui et les autres Français, habillés pareil, en soldats. Ils venaient d'Afrique, on les appelait des tirailleurs, comme les Arabes d'Afrique du Nord. Ils vivaient ensemble, ils faisaient tout ensemble, ils s'entendaient bien, ils avaient le même ennemi. Plus tard, beaucoup plus tard, les nouvelles ont été moins bonnes. Le froid, la boue, la faim, les disputes entre soldats... Et de longs mois sans rien, ni carte ni lettre, jusqu'à l'annonce de sa mort au champ d'honneur.

Ce matin, en attendant le car scolaire, devant le monument aux morts du village, elle a lu, encore une fois, le nom de son père, juste sous les lettres d'or :

À NOS HÉROS, Jean Mortemer.

Elle marche dans la ville inconnue qui ne l'aime pas, c'est ce qu'elle pense lorsqu'elle sort du métro pour aller par

les rues, à l'air, cette ville ne l'aime pas et
elle ne l'aime pas. Elle est venue jusqu'à
cette rue où elle arrivera à force de
patience, parce qu'elle a un devoir à
accomplir. Elle a promis. Elle aurait pu
choisir la forêt, elle sait exactement où se
trouvent les grottes secrètes, c'était sans
risque, l'odeur, la terre et les arbres la
protègent, la forêt, c'est son pays, pas la
ville. Elle a dit oui pour la ville inconnue,
haïe, si loin qu'elle pensait ne jamais
arriver. Et cette rue vers laquelle elle
marche à pied, lentement, elle est vieille et
fatiguée, elle se demande à la fin si elle
existe, la rue. Elle s'assoit sur le bord des
bancs publics, tout au bord, même si le
banc est vide, pour partir plus vite. Qui
voudrait agresser une vieille misérable,
elle n'a pas de sac ni de valise, un ballu-
chon serré dans un tissu à fleurs, des
pensées bleues et violettes. Mais on lui a
dit que dans cette ville, la plus grande du
pays, on attaque aussi les vieilles, pour
quoi faire ? Elle a peur. Ce qu'on raconte

Leïla Sebbar

est faux, peut-être, maiselle a peur et si on la laisse tranquille, on peut quand même lui demander ses papiers. Elle les a oubliés. Elle ne sait même plus où ils sont rangés dans la maison d'école qu'elle habite. L'école désaffectée, elle l'a occupée avec sa famille quand elle n'a plus travaillé à la ferme. Peut-être dans la vieille boîte en fer, abandonnée sur la cheminée, la boîte avec la tête de Nègre *Y'a bon Banania*, le grand sourire, les dents blanches, la chéchia rouge, le père dans ses cartes, parlait de cette chéchia des tirailleurs sénégalais. La police peut la prendre pour une vieille folle, une vagabonde sans papiers, les policiers voudront la protéger, ils l'emmèneront dans un panier à salade au poste, avant le foyer pour la nuit... Elle évite les rues éclairées, les endroits où se rassemblent des clochards, les bancs où les S.D.F. attendent le jour, un jour de moins à vivre... Ou un jour de plus... comme on veut.

Il est minuit.

Leïla Sebbar

Elle arrive à l'endroit prévu. Elle reconnaît la grande benne verte sous le pont du métro aérien.

Les ouvriers de la ville de Paris manipulent l'immense bac de métal lourd, peint en vert, rouillé par endroits. La manœuvre est longue, précise, bruyante. Les jeunes ouvriers sautent dans le camion haut, démarrent brutalement, disparaissent dans la rue voisine.

La benne occupe le trottoir sous la voûte, abandonnée.

Et le ballet prudent commence.

Fourgonnettes surchargées, voitures démembrées qu'on a sauvées de justesse de l'immense cimetière de la zone, camions des petits entrepreneurs spécialisés dans la démolition ou le nettoyage des caves et greniers... Ils tournent au ralenti aux environs de la benne, s'arrêtent, déchargent sous surveillance, repartent, reviennent. La benne profonde est presque pleine. Des hommes sont là, dans l'ombre des piliers. Ils suivent les gestes précipités de ceux qui jettent par-dessus bord des objets qui, soudain, leur font horreur et qu'ils lancent avec la violence de la haine.

La benne déborde. Il faut faire vite, avant l'arrivée du camion Propreté de Paris, les ouvriers travaillent souvent à l'aube, parfois dans la nuit. C'est long. Ramasser tout autour ce qui a été jeté, définitivement, et qui sera broyé, ce que les fouilleurs ont lancé sur le trottoir, dépités, parce qu'ils ont travaillé pour rien, nettoyer le trottoir, recouvrir la benne d'un filet vert, ajuster le lourd crochet depuis la cabine du camion, rassembler les derniers débris sous l'œil de ceux qui restent encore, pour assister au départ des tonnes de rebuts que les maisons dégorgent. Les hommes regardent, ébahis, comme s'ils surprenaient des manœuvres militaires secrètes sur un plateau désert, interdit.

Propreté de Paris

Le dépotoir vert brille sous le pont du métro. Elle ne se trompe pas.

Marcher jusqu'à la gare. Quitter la grande ville. La forêt, c'était l'enfance, des kilomètres et des kilomètres, l'odeur humide du sous-bois sur le macadam des trottoirs et les pavés des petites rues, l'odeur est là, fidèle, qui la fait vivre encore. Elle marchera après la petite ville où le train « grandes lignes » s'arrête deux minutes. Elle ira à pied, à la maison on l'attend, elle ne dira rien. Combien de kilomètres, exactement ? Cinquante, soixante-dix, peut-être.

Après la forêt, elle a remplacé le frère au maquis, loin de la ferme. La mère a dit : « Tu n'iras pas, moi vivante, tu n'iras pas. La terre des tranchées a avalé ton père, je ne sais même pas où il se trouve, on m'a dit d'aller voir dans les cimetières du Chemin des Dames, j'avais pas l'argent pour le voyage et une fois là-bas, comment j'aurais cherché toute seule ?

Et puis s'ils avaient menti pour que je les laisse tranquilles ? Qu'il repose en paix. Et ton frère, il a disparu comme ça, un matin. Je savais qu'il voulait s'engager avec les résistants, j'ai dit : " Ton père, ça suffit pas ? " Il a dit : " C'est pas pareil. Il est parti à la guerre sans savoir, moi je sais. " Qu'est-ce que tu sais, toi ? Tu as à peine dix-sept ans, tu sais tout, plus que ton père et tu vas pas comme soldat, c'est pas une armée régulière qui t'a appris à te battre ? Et voilà qu'on vient maintenant chercher les filles... C'est indigne. Ton frère, il est mort et je ne le sais pas ? Tu pars le rejoindre ou tu le remplaces ? Qu'est-ce qu'on t'a dit ? – On m'a dit de pas poser de questions. Que si je veux venir, je viens, sinon je reste. – Alors, tu restes, tu m'entends, tu restes. Ton père, maintenant ton frère, et toi après eux, non, tu n'iras pas. – Je me sauverai... »

Elle s'est sauvée, elle a marché toute une nuit pour rejoindre le groupe. Et elle a encore marché, habillée en soldat avec

des morceaux d'uniforme, soldat vaga-
bond... Les camarades abattus, fusillés,
des traîtres et des héros, dans la forêt près
de la ferme, une stèle dit le nom de trois
résistants morts au combat. Elle est
revenue, à pied, seule. Sa mère ne l'a pas
reconnue. Elle n'a rien dit. Au bout de la
longue table de cuisine, elle s'est assise.
Sa mère lui a servi un grand bol de café
et une large tartine de confiture de
groseilles, celle qu'elle préfère. Après elle
a dormi sous l'édredon rouge, un jour
entier et encore un jour et un autre jour.

Elle est vieille. Mais elle marche comme
une femme aux jambes jeunes et solides.
Depuis la butte, elle voit le hameau et la
rivière, tout en bas.

Sa fille l'attend.

Trois voitures stationnent le long du
boulevard, près de la benne. Sur le
trottoir, au pied des piliers, des chaises
bancales, un fauteuil en tissu rayé, des
coussins et des poufs en maroquin, des

hommes vont d'un objet à l'autre, l'expertisent, le mettent de côté, que personne n'y touche, il est à eux, c'est décidé. Assis sur un canapé crevé, ils se reposent, surveillent le va-et-vient incessant. Ils boivent des canettes de bière, la journée sera longue. Chefs de cérémonie, ils montent la garde, règlent les différends, évaluent les gains de la récupération, habitués des bennes vertes, ils ont en mémoire la carte du réseau, quartier par quartier, quel trottoir, quelle place, quel carrefour et le calendrier, les jours et les heures. Ils ont repéré d'autres usagers des décharges publiques de la ville de Paris, les immatriculations de banlieue, ferrailleurs, *puciers*, S.D.F., *Yougos* tsiganes plus souvent roumains que yougoslaves... C'est les mêmes, les hommes qui fouillent sur le haut de la décharge avec les Arabes et les autres. Les hommes assis, ils se sont servis, attendant la bagarre.

À deux piliers de la benne, sur un fauteuil en velours frappé incolore, un jeune homme, indifférent à l'agitation, lit. Un roman de Zola, *Nana*, le titre occupe la moitié de la page de couverture. À ses pieds, des livres, ordonnés en piles, par ordre alphabétique. Il porte un chapeau mou de polar, une chemise à motifs tropicaux, un pantalon pattes d'éléphant. Il n'entend pas celui qui l'appelle, debout sur un matelas maculé, jeté en travers de la benne : « Désiré ! Oh ! Désiré ! » Il ne lève pas la tête. L'autre crie dans sa direction : « Désiré ! Arrête de lire tes polars, viens voir. C'est pas un polar. C'est un bouquin de poubelle, c'est pareil, tu perds ton temps, viens chercher avec moi. Regarde ce que j'ai trouvé... Une tête de mort dans une noix de coco, c'est pour toi, avec un chapeau, on dirait toi... la même peau, la même couleur. » Il lance la noix de coco qui roule jusqu'au lecteur qui n'a pas bougé. « Désiré ! Oh ! Désiré, si je trouve d'autres livres, tu sais ce que je fais avec ? Du papier cul. Alors viens, dépêche-toi, j'ai un carton, là, je te mens pas... Désiré ! Regarde ! Un bateau pour aller chez nous, viens voir. » Les hommes se passent de vieux jouets, coques de voiliers, chalutiers, barques de rivière.

Sur le trottoir, femmes et enfants fouillent les sacs éventrés, des habits, des jouets, les mères trient, examinent, évaluent, les sacs Tati gonflent, fébriles comme s'il s'agissait des bacs de soldes en grande surface. Les femmes jettent, tantôt dans le sac béant, tantôt sur le trottoir, plus rapaces que les hommes qui se réservent les objets monnayables, les fripes, les peluches. On les entend crier : « C'est à moi, il vient de me les donner, pour mes garçons, des jumeaux, il m'en faut deux, un ours brun et un ours blanc, le singe vous pouvez le garder, j'en veux pas. – Moi aussi, j'ai des jumeaux, je les ai pas avec moi aujourd'hui, ces deux peluches je les ai vues la première, là, près du matelas, vous me les avez volées, oui, volées, vous êtes une voleuse. – Tenez, madame, ne vous disputez pas, y'en a pour tout le monde, deux singes, pareils, vos fils seront contents... Bon, il faut se dépêcher, les hommes en vert vont arriver, dès qu'ils sont là, c'est fini... D'ailleurs, on a pas le droit de fouiller. Il reste presque rien. Des planches, des bidets cassés, des morceaux de verre, c'est dangereux... On va sortir. Un dernier coup d'œil. Tiens, encore un sac, là-dessous, pas un sac-poubelle ni un sac plastique, à moitié déchiré. Un joli sac en tissu de rideau bien épais... Regardez, ça va vous plaire, mesdames, ces fleurs, des pensées bleues et violettes... Vous allez avoir une belle surprise, c'est sûr, dans un si joli sac. Attention, je le lance. »

Des bras se tendent. Les femmes se bousculent. L'une d'elles, plus habile, attrape le sac au vol. Elle le serre contre elle, les autres la regardent, l'obligent à reculer jusqu'au pilier, la rage, l'envie, la haine... La femme debout, adossée à la pierre, serre plus fort le sac fleuri. Elles sont là, autour, certaines prêtes à la toucher. « Tu vas l'ouvrir, et devant nous, là, tout de suite. Ne crois pas que tu vas avoir tout pour toi toute seule, c'est à tout le monde ce qui vient de la benne... On est témoins. C'était dans la benne. »

La femme pousse un cri. S'évanouit.

Les autres femmes se sauvent dans le désordre des paquets piétinés. Près du sac à fleurs, la première bandelette déroulée, on voit le petit visage violacé d'un nouveau-né.

La tresse

.

Un homme marche le long du fleuve.

C'est l'hiver. Il regarde à peine le Rhône. Il fait froid, l'eau n'est presque plus de l'eau. Dans la ville, lui n'est pas d'une ville, il vient de si loin, un village de pierres, quelques maisons, et autour le désert du plateau, on l'appelle l'Atlas, un village qu'il ne veut pas nommer, à Lyon, dans la ville étrangère, il ne voit ni le fleuve, ni les arbres, ni les femmes, ou à peine. Si elles le croisent, à deux ou trois et qu'elles parlent fort, trop fort, dans la rue et qu'elles rient, on les entend de l'autre côté du pont. Il n'aime pas que les femmes se manifestent ainsi, à cause des mots bruyants et des rires déplacés. Il lève la tête vers celles qui se parlent sans le

Leïla Sebbar

voir, elles le cogneraient presque, s'il ne se collait au muret de pierre qui les sépare du fleuve.

Elles ne font pas attention à lui. Entre elles, qu'est-ce qu'elles se racontent, pourquoi elles rient, ce qu'elles se disent est si drôle ? Elles marchent, parlant et riant aux éclats, l'une accrochée à l'autre, sinon elles tomberaient à genoux sur le ciment, le rire les tord, elles sont trois, il sait dans quelle langue elles rient, même s'il n'entend pas bien les paroles, les phrases interrompues par les gestes saccadés, les corps secoués... Elles sont folles. Il ne s'arrête pas, il ralentit, fait un pas vers le bord du trottoir pour les laisser passer. Elles sont plus près, elles n'ont pas cessé de parler et de rire, il les regarde.

Il ne s'est pas trompé.

Elles ont des enfants ? Elles rient comme jamais il n'a vu rire des femmes dans la rue, sauf celles qui bavardent au pied des hôtels de la ville, dans le quartier des putes. Il se retourne pour les regarder.

Elles s'éloignent dans le bruit des mots criés, et le sanglot des rires. Il ne les voit plus, il les entend encore. Qu'est-ce qu'elles se racontaient ? Les voix aiguës couvraient les mots de la langue. Sa langue. Il est sûr de cela, elles riaient dans sa langue, mais il n'a rien compris. Elles habitent les cités au-delà de l'immense carrefour autoroutier. Elles viennent de là-bas, et elles se perdent dans la ville où des hommes s'arrêtent pour les regarder passer, les trois femmes, sœurs, cousines, voisines ? Et les maris ne le savent pas. Lorsqu'ils reviendront, elles seront assises devant la télévision, épluchant les légumes sur la table basse, ou bien elles seront en train de crier parce que les enfants se disputent et ne font pas le travail de l'école.

Il sait tout cela. Et ces trois femmes, là, dans l'après-midi, entre elles, qui rient comme des jeunes filles sur la terrasse des maisons, on les entend de la rue étroite, mais aucun homme ne les voit. Elles se cachent avec de petits cris, elles voient tout d'un endroit secret qu'elles ne révèlent à personne. Elles savent. Les hommes aussi, lorsqu'ils passent au pied des maisons, parlant la langue des hommes.

Il ne connaît pas ces femmes, ni les femmes des cités.

Comme s'il avait besoin de l'eau du fleuve pour se calmer, il se penche vers le Rhône, le parapet n'est pas haut. L'eau bouge à peine. Après les sons trop aigus, stridents à ses oreilles, et ces rires qui lui font peur... Il n'aime pas entendre des femmes inconnues qui se tiennent par le bras, les visages convulsés par le rire, presque collés l'un à l'autre, comme pour provoquer d'autres mots, d'autres histoires, d'autres bonheurs, ou des malheurs.

Ces trois femmes-là sont heureuses. Et lui respire le froid de l'eau pour lutter contre la sueur qui l'a secoué. Le silence de l'eau qui va lentement vers la mer, le silence du froid de cet après-midi où il est seul à nouveau, debout contre le mur. Il tourne le dos au Rhône. Il reste ainsi long-temps. La terre a tremblé. Il a eu peur. Il porte la main à l'intérieur du veston, du côté gauche. Le cœur s'apaise. Il regarde fixement le tronc du platane. L'écorce épaisse creusée par endroits. La pointe d'un couteau a tracé des lettres, des flèches. Il ne s'approche pas pour les lire, les déchiffrer, il connaît mieux les lettres de l'autre langue. Il les a entendues dans la voix des femmes, tout à l'heure. Il marche, protégé par le muret qu'il touche de temps en temps de la main gauche. Au milieu du trottoir près de la grille en fer qui cerne le pied du platane, la grille dessine des damiers, il voit une forme noire, allongée.

Un foulard perdu...

Les femmes, dans leur agitation, auront laissé glisser un foulard, mal noué autour du cou.

Une paire de gants ou plutôt un gant.

Une toque en laine ou en astrakan. Il se hâte vers l'objet.

Personne en sens inverse. Il est seul à cette heure de l'après-midi sous les platanes, l'hiver. Il se penche. Il n'y aurait pas pensé.

L'homme regarde la tresse de cheveux noirs à ses pieds. Longue et lourde.

Il hésite. Se penche vers la tresse. Il la ramasse.

Il entend parler derrière lui. Il met la tresse dans la poche de son manteau, très vite. Il se tourne vers le Rhône, colle sa poitrine contre la pierre.

Le cœur reprend son rythme.

Il marche le long du fleuve. Ses doigts touchent les cheveux doux, il sent les bourrelets légers de la tresse et le creux quand les mèches gonflées se croisent. Il compte sept fois ce pli, comme une courte fente. Une belle tresse coupée, abandonnée, aux forces du mal. Les femmes, ici, vont tête nue, et leurs cheveux ne sont pas

Leïla Sebbar

beaux. Ils ont une vilaine couleur. Qui voudrait les toucher dans l'ombre de la chambre ?

Pas un seul homme.

Les femmes ne tressent pas leurs cheveux. Quels cheveux pourraient-elles coiffer, avec quelle parure ? Leurs cheveux sont ras, en brosse de chiendent, paille de fer rêche, dure, avec l'odeur et la couleur terne du coiffeur de quartier, ils tiennent autour de la tête, sans le poids des cheveux en tresse. Ces femmes ont la tête vide et le visage vide. Combien de fois est-il allé où vont les hommes seuls, dans la ville étrangère ? Il choisirait une femme aux longs cheveux. Jusqu'ici, elles ont de mauvais cheveux trop courts, plats ou frisés, peints en jaune. Qui voudrait les toucher, sur la peluche usée où elles s'allongent pour recevoir tous les hommes ? Il ne veut pas savoir d'où vient la femme. Il se sauverait s'il reconnaissait l'odeur des cheveux mêlée à la perle d'ambre, au corail, au musc.

L'homme ne parle pas. Il fait comprendre à la femme qu'il a l'argent et qu'il préfère le silence.

Elles ne garderaient pas longtemps ces coiffures des femmes qu'il a vues, à leur insu, dans les cours des maisons, soigner et tresser leurs cheveux, à l'abri du regard des hommes. Si des femmes de l'Atlas se sont égarées dans les rues où des femmes parlent à des hommes inconnus, il ne veut pas les voir, si elles existent, il ne les reconnaîtra pas les cheveux coupés, la bouche trop rouge et la voix... Une nuit, il a cru deviner... à la voix, pas à la coiffure, ces tresses lourdes croisées en casque ou en couronne sur la tête, ailerons ornés de laine rouge, d'argent, de fibules ou de pièces... Les cousines, il y a si longtemps. La cour a disparu, et les femmes de la tribu ? On lui a dit un jour qu'il ne restait rien de l'enfance. Il n'a pas pensé qu'on pouvait lui mentir.

Où sont les femmes ?

Cette nuit-là, il a entendu des femmes

sous le porche, et parmi elles, une voix. Elles allaient l'arrêter, il s'est sauvé. Elles ont ri. Il a couru jusqu'à la gare. Il s'est perdu dans les couloirs, il est sorti loin, dans une banlieue inconnue. Il n'ira plus chez les femmes. Si c'était une sœur... Dans la poche de son manteau, ses doigts glissent sur la tresse et au fond, il sent un petit objet dur et lisse qu'il avait oublié. Un coquillage. Il ne l'a jamais perdu.

C'est un cauri. Son amulette.

L'ongle de l'index joue sur les minuscules dents, le long de la fente étroite. Il a volé des cauris à ses sœurs dans la cour de la maison où il les poursuivait (d'où lui vient celui-là. Il ne sait pas). Un compagnon d'exil et d'alcool lui a raconté un soir une histoire de tresse, à un comptoir. L'homme qui parlait mal la langue de ce pays, lui a récité un poème ancien qu'il n'a pas compris. Il a tenté de le traduire, il racontait qu'une princesse, enfermée dans un palais, avait déroulé du haut de sa terrasse une tresse longue et solide comme une corde, pour que l'homme, depuis le pied du rempart, monte jusqu'à elle. Mais l'homme avait embrassé les cheveux noirs parfumés de musc, et adroitement, il avait accroché une corde à un créneau de la terrasse royale où il avait retrouvé la femme aimée, belle et droite comme un cyprès, les joues couleur de tulipe... Il avait à nouveau embrassé les tresses puis les cheveux dénoués qui lui couvraient le corps... La nuit avait été heureuse. L'étranger du comptoir a raconté l'histoire, longtemps, lentement, lui ne s'est pas impatienté. Il n'a jamais vu de princesse. Il a écouté jusqu'au bout.

Et même s'il existe encore des princesses dans les palais des sables et des villes anciennes, on les enferme, et le verre fumé des voitures royales empêchent les hommes de les regarder. Pas seulement les hommes. Il est sûr que leurs cheveux ne sont pas tressés.

L'homme ne marche plus le long du

fleuve. Il s'est assis dans la salle d'attente des trains de banlieue. Il a le temps. Il regarde les femmes, les voyageuses. Celles qui ont de longs cheveux. Elles ne sont jamais seules. Parfois il monte dans le wagon, aux heures d'affluence, et il se tient debout derrière la chevelure. Il cherche les brunes. Il serre la barre et ses doigts touchent les cheveux longs, lisses, très noirs. Lorsque la femme descend, il ne la suit pas. L'homme qui l'accompagne a les yeux noirs et la peau brune de l'Inde ou du Pakistan. Dans sa poche, il cache une dague courte ou un rasoir, comme lui ?

Il est assis sur le plastique rouge des sièges du quai de la gare, à distance du voisin, il préfère ne pas être trop près, il n'a pas envie de parler. Parfois il attend longtemps avant de voir une femme qui est une femme. S'il découvrait celle à qui appartient la tresse qu'il caresse dans la poche de son manteau... Il n'y croit pas.

Et puis, soudain, à l'autre bout du quai,

il sait, parce qu'il entend le bruit de son
cœur, comme lorsque les femmes riaient le
long du fleuve, il est sûr que c'est elle, la
jeune fille qui marche, le visage réservé,
enveloppé d'une mousseline blanche, dra-
pée jusqu'à l'épaule... Il se lève. La jeune
fille vient vers lui, les yeux baissés. Elle
s'arrête. Elle attend le train, debout. Elle
lui tourne le dos. L'homme pose sa main
droite à l'intérieur du manteau, à l'endroit
du cœur. Il appuie, jusqu'à l'arrivée du
train. Il a peur de s'évanouir.

De la mousseline blanche dont l'ourlet
bordé d'une fine dentelle s'arrête au
milieu du dos, une tresse noire dépasse,
serrée, au bout, par un minuscule ruban
de satin vert. Il n'ose pas s'asseoir en face
d'elle. Il verrait son visage, ses yeux. Il ne
veut pas. Il reste debout appuyé contre la
barre. Il la surveille. Dans l'autre poche du
manteau, le rasoir est plié. Il s'en sert les
matins où la barbe le gêne. Dans les toilettes de n'importe quel bistrot, c'est
possible. Il sait aller vite. Il guette, dans

la glace, ceux qui descendent jusqu'aux cabinets à la turque toujours sales. Il faut être seul pour se raser vite.

Elle est jeune et personne ne l'accompagne. Elle n'a pas bougé, ni lui. Jusqu'au bout de la ligne. Des hommes, des jeunes gens, se sont assis en face d'elle, à côté, noirs, blonds, basanés, crânes rasés, *Iroquois*, lycéens, hommes d'affaires, ouvriers... C'est la ligne la plus longue. Elle n'a pas levé les yeux sur eux. Elle n'a pas interrompu sa lecture. Il n'a pas osé se pencher par-dessus le siège pour voir le livre. Il sait seulement qu'elle lit. Attentive. La tresse collée contre le skaï du siège.

Tout le monde descend.

Il la suit. La tresse bouge au rythme de ses pas de jeune fille sage. Elle marche jusqu'à la station du bus, sur l'immense esplanade où le vent souffle, même l'été. Si le petit ruban de satin vert glissait sur le macadam, au moment où elle se presse pour traverser l'avenue... Il la suit. Il s'assoit près d'elle sur le banc de l'Abribus, protégé sur les côtés par du verre fumé. Lorsqu'elle se lève pour monter dans le bus, il se lève aussi. Il va aller jusqu'où ? Il la voit se pencher vers l'homme qui conduit le bus. Le chauffeur porte une casquette de travail, une veste du Réseau... Il a une moustache noire. Il est encore jeune.

Elle embrasse l'homme.

Il l'entend dire, dans sa langue :

« Bonjour, ma fille. »

Il ne monte pas dans le bus. Il attend que la jeune fille soit assise devant, la place est libre. Le bus s'éloigne.

L'homme sourit.

Travail
à domicile

.

Linn n'a rien dit. Elle est partie avec Gabriel.

Ils n'avertiront pas la police, bien qu'elle soit mineure, elle le sait. La solidarité va répandre la rumeur, qui n'est pas une rumeur, elle a vraiment disparu, et l'enquête va se mener discrètement de l'un à l'autre, le père et les frères, les oncles... Pas seulement les hommes, mais ils travaillent ensemble, avec le secours des femmes, vigilantes et perspicaces. Elles ne racontent pas n'importe quoi. Les ateliers de couture gardent les secrets, les hommes ont confiance, ils trouveront une piste. Quelques indices suffiront. Ne pas alerter la police, donner des réponses vraisemblables aux questions du lycée et

Leïla Sebbar   89

poursuivre les recherches. Ils diront que Linn est allée passer un mois ou deux dans la famille au pays. « Mais la scolarité est obligatoire, monsieur, vous devez fournir des justifications d'absence pour votre fille... – Je sais, je connais le règlement, vous aurez ce qu'il faut, ne vous inquiétez pas. Notre médecin a pensé que l'air du pays lui ferait du bien. – Votre fille est malade ? – En quelque sorte. – Alors vous nous enverrez un certificat médical, n'oubliez pas. – Mais naturellement, madame. » Le père enverra un certificat médical, pour respecter le règlement, et il continuera l'enquête, utilisant, comme elle l'a vu faire, les méthodes archaïques et les méthodes les plus sophistiquées. Internet, pourquoi pas ?

Et Linn, dans l'avion, dormira sans rêve, à côté de Gabriel. La voix de sa grand-mère, elle ne veut plus l'entendre.

La mère de Linn se penche vers la vieille femme, rescapée d'un camp de réfugiés en Thaïlande. Elle est assise près de l'autel construit pour le culte des Ancêtres. « Tu l'as déjà raconté aux enfants. Ils t'ont écoutée, sagement, ils ont posé des questions et tu leur as répondu, ils savent maintenant ce qu'ils doivent savoir, si tu continues, ils vont penser que tu radotes, ils ne t'écouteront plus. – Mais les enfants oublient, il faut répéter encore et encore. Je ne veux pas qu'ils oublient. – Si tu les obliges à rester enfermés avec toi, dans l'ombre de l'autel, et si tu les ennuies, ils voudront oublier. Fais attention. Tu sais ce qui est arrivé à la voisine... – Non, non... Après tous ces malheurs... Une maison de vieux, toute seule. – Mais c'est fini, c'est loin et les enfants, ton histoire les intéresse une fois, trois peut-être, après, ils préfèrent la télé, les dessins animés, les films, ce qui se passe aujourd'hui. Tu n'es pas malheureuse avec nous. Je sais à quoi tu penses, je sais, mais laisse aller la vie, ici les enfants ne risquent rien, ne t'inquiète pas... » La patience de sa mère la surprend, chaque fois que Linn l'entend parler ainsi à la vieille femme, têtue ou gâteuse, elle ne sait plus. Un jour, la vieille a caché les journaux, si souvent feuilletés que les pages se détachent, l'encre d'imprimerie a pâli, les photographies aussi. Elle dort contre l'autel sacré et ses magazines ne la quittent pas. Ils étaient petits, son frère et elle. Cette femme accroupie, si vieille (elle n'était pas encore vieille), comment pouvait-on leur faire croire qu'ils avaient un lien avec elle, qu'elle avait été jeune et qu'elle avait eu des enfants, leur mère et l'oncle. Une étrangère plus étrangère que les grand-mères du quartier et des amis parisiens, algériens, antillais... Elle parlait une langue que sa fille, elle-même, avait du mal à comprendre. La langue du malheur, un malheur si grand qu'il porte le malheur dans une maison. Ils avaient peur d'elle.

Linn et son frère s'approchent, prudents. Ils s'assoient près de leur mère, bienveillante, attentive, et ils écoutent. C'est long et laborieux. La vieille parle avec précipitation, il faut l'arrêter, traduire aux enfants qui ne comprennent pas, parce qu'ils ne reconnaissent pas la voix du soir quand leur mère chante, dans la langue maternelle, les vers d'un poète vietnamien. Ils protestent, Linn surtout. « Mais on la connaît par cœur, son histoire, toujours la même, en plus elle est trop triste et quand elle pleure, on comprend rien, déjà quand elle pleure pas... – C'est ta grand-mère, Linn, elle a souffert... – Je sais, je sais. Si elle racontait d'autres histoires, pas seulement la sienne. – Elle ne peut pas. – Elle est devenue folle ? – Non, mais elle a oublié sa vie avant, et sa vie après ne l'intéresse pas. Tout s'est arrêté à ces deux années, la fuite de la famille à travers la forêt avec d'autres civils, la disparition mystérieuse de son mari, mon père. On n'a jamais su. Chaque jour, dans le camp, au moment du courrier, ma mère attendait des nouvelles. Les jeunes hommes abattus pendant l'exode, le bateau qu'il a fallu prendre d'assaut, la nuit. Je m'occupais de mon petit frère, ma mère était enceinte, elle ne le savait pas encore. Son fils, c'était un garçon, est mort à la naissance, dans le camp, il faisait si chaud dans la cabane en bambous où ma mère accouchait. J'étais là, personne ne s'en est inquiété. Ma mère criait, j'étais recroquevillée dans un coin, le visage caché dans mes mains, je ne voulais pas voir et je voulais être là. J'aurais pu aller avec les autres enfants du camp, je suis restée et j'ai vu mon frère si petit, si petit. Il ne bougeait pas. Il était violet. Ma mère n'était plus consciente à ce moment-là. Elle l'a su quelques heures plus tard. Elle a demandé à le voir. On lui a montré une momie déjà serrée dans des bandelettes. Elle a pris l'enfant contre elle, l'a bercé un moment et l'a rendu aux femmes pour qu'elles fassent leur travail. Ma mère n'a pas parlé pendant plusieurs jours, elle ne s'occupait plus de nous, c'est moi qui prenais soin d'elle, je devais la nourrir, elle serait morte de faim et de soif. Elle n'a pas refusé ce que je lui donnais, je lui parlais doucement, je chantais les chansons qu'elle nous avait apprises, quand on avait une maison, près de Saigon, quand mon père revenait de la ville où il travaillait, avec des coupons pour ma mère. Elle était couturière à domicile. Mon frère disait : " C'est plus notre mère. Elle est comme une petite fille muette. Qu'est-ce qu'on va faire ? " Il revenait de moins en moins dans notre cabane, il jouait avec les enfants du camp, les garçons se déguisaient en soldats et en pirates. Je crois qu'il avait peur de sa mère. Qu'elle ne soit plus une mère, une femme comme les autres, qui vit pour ses enfants, qui les protège et qui obtient des billets d'avion pour l'Amérique ou l'Europe. Chaque matin, il disait : " On part aujourd'hui ? En avion ? " Le bateau, on était si nombreux... Il aurait pu sombrer, a été attaqué

par des pirates, ils voulaient l'argent, les
bijoux, pas notre vie, mais on savait qu'ils
tuaient ceux qui n'avaient rien, les
hommes. Ceux qui étaient à bord, ils
n'étaient pas nombreux, se sont défendus
jusqu'au moment où les pirates ont vu
arriver un navire étranger. Ils ont disparu
sans argent ni bijoux, mais deux hommes
ont été tués. Des hommes sans famille. Le
bateau était surchargé, les marins ont jeté
les cadavres dans la mer. Pendant trois
mois, ma mère a habité un autre monde,
seule, sans nous. Je ne sais pas si elle nous
voyait. Et puis, un matin, il faisait à peine
jour, elle s'est levée et elle a préparé le
thé. Depuis, je n'ai pas cessé, jusqu'au
départ, de travailler avec elle. On nous a
donné une machine à coudre. Ta grand-
mère m'a appris son métier de couturière,
on a gagné l'argent du voyage et tu vois,
je continue. – Ce serait mieux si elle parlait pas, je trouve. – Linn, si ta grand-
mère... – Je sais, je sais, tu me le dis tout
le temps, je ne serais pas là... Mais moi, là

Leïla Sebbar

ou ailleurs... Un jour j'irai là-bas. – C'est impossible, ma petite fille, c'est impossible. Il faut l'argent, pour les billets, c'est loin, c'est cher. À cinq... on ne peut pas payer. – Je me débrouillerai, j'irai, mais je veux pas travailler comme toi, là, enfermée dans une pièce au dixième étage, tu vois même pas la rue ni le ciel, le mur d'en face, c'est tout juste, tu lèves pas les yeux de ta machine, combien de pièces par jour, et on te paye combien ? Travail à domicile... Tu te déplaces pas, c'est vrai. On te donne les morceaux et tu rends les pièces... Mais tu sais pas que c'est de l'esclavage ? Tu es là enchaînée, tu sors pas, sauf pour les courses de la maison, tu parles plus, on te voit plus, tu ris plus... Et mon père, tu le vois pas non plus, il travaille quand tu dors... Je veux pas cette vie, je veux pas, tu comprends ? – Oui, ma fille, je comprends, tu as raison. Ton père et moi, on travaille pour vous, vos études. J'ai pas fait d'études. Ma fille sera médecin... Toi, ma fille. Tu seras

médecin ? – Oui, maman, oui, je serai
médecin, mais avant, j'irai dans le pays de
grand-mère, ton pays... Ce sera comme si
toi, petite, tu me parlais dans ta langue et
je saurai. »

Phnom Penh, avant Saigon.

Dans l'avion, Linn lit le roman de la
Française d'Indochine. Gabriel se moque :
« Un roman pour les midinettes. Tu as vu
le film, évidemment. Avec ce titre-là,
quelle femme résiste ? Il passe peut-être à
Saigon. – Et toi ? tu lis quoi ? Un livre
sur les temples d'Angkor ou la médecine
chinoise... – Non. – Alors quoi ?... Pourquoi
tu caches le titre ? Tu fais comme les
voyageurs dans le métro, ils se
débrouillent pour qu'on sache pas ce qu'ils
lisent. Les hommes et les femmes. Je sais
pas pourquoi. – Je lis des récits illisibles,
qu'on ne devrait pas pouvoir lire, tu sais,
comme les histoires des camps nazis ou du
goulag... Les années Pol Pot, un massacre
fratricide, chaotique, on comprend pas,

c'est comme le Rwanda, un peuple génocidaire de lui-même... – Et toi la guerre d'Algérie ? – Pourquoi tu me parles de la guerre d'Algérie ? C'est pas pareil. – Ton grand-père, il était kabyle, non ? Qu'est-ce qu'il a fait ? – Il était mort quand je suis né. On m'a pas dit. J'ai pas posé de questions. Après, j'ai lu l'histoire, mais j'ai rien demandé à mon père. Il me racontera, s'il veut, sinon... »

Ils arrivent à l'hôpital de Phnom Penh, leur seule adresse dans la ville inconnue. Une vieille bâtisse, mal entretenue. Dans le long couloir, un jeune Français peint une fresque sur l'un des murs. Où sont les chambres, les malades, les médecins ? Ils voient la ville sur le mur, un marché, des pousse-pousse, de larges paniers devant des paysannes accroupies. Le pinceau habile, précis, ouvre le couloir sur les couleurs et le bruit de la rue, loin de l'hôpital. Un responsable de l'Organisation non gouvernementale donne ses instructions à

Gabriel. « Et moi ? Qu'est-ce que je fais ? »
dit Linn, que le médecin-chef n'a pas vue.
« Bonjour, mademoiselle, vous êtes infir-
mière ? – Non. – Médecin, peut-être ?
– Non. – Alors je ne peux rien pour
vous. » Il donne à Gabriel un plan de la
ville, l'adresse d'une villa délabrée où
habitent les employés de l'ONG.

Gabriel travaille. Linn se promène. Le
quartier de l'ancien gouverneur général
ressemble au quartier colonial de Saigon.
Elle marche dans le roman de la Française
d'Indochine.

Le chasseur de têtes du couturier parisien cherchait une jeune Asiatique. Ses
mannequins seront habillés de vêtements
inspirés de la Chine. Les modèles auront
un air d'Asie, seulement l'air. Les femmes
qu'il croise dans le quartier chinois ne lui
plaisent pas. Petites, les jambes torses, les
fesses basses et plates, la bouche trop
grande... D'où viennent-elles ? Paysannes
des rizières, transplantées, montagnardes

déplacées dans leur propre pays, puis sur un continent étranger. De bonnes ouvrières, dit-on, dans la confection et la restauration. Acharnées au travail. Ces femmes ont des filles. Où sont-elles ? Elles sont sorties des arrière-boutiques et des cours obscures, elles ne font pas le travail de leurs mères, attachées à la machine à coudre du prêt-à-porter bon marché, enfermées dans les sous-sols des cuisines, collées au tabouret de la caisse, à ces postes, il n'a jamais vu de jeunes Chinoises, il pense *Chinoises*, pour ne pas s'attarder, elles ont des parents cambod-giens, laotiens, vietnamiens ; il sait que la Chine n'est pas l'Asie, mais il fait comme tout le monde, il dit *Chinoise*. « Il me faut des Chinoises de Paris. Grandes, minces, les yeux à peine bridés, la bouche charnue et étroite. Voyez dans les agences, mais pas seulement... Dans la rue, les cafés autour des lycées, les cafés à la mode, les boutiques, pourquoi pas ? Cherchez. Il m'en faut cinq. » C'est ainsi que Linn a

présenté des modèles de la collection
« Chine nouvelle » du couturier parisien.
Une seule fois. Pour la collection suivante,
il a cherché des Africaines de Paris. Son
père ne regarde pas les défilés de mode à
la télévision, il l'aurait vue, ce qui se
serait passé... Heureusement, il travaille
en sous-sol à l'heure de ces émissions, ses
amis aussi, la nouvelle de sa fille en top
model n'a pas été colportée jusqu'à lui. Sa
mère a dit : « J'ai vu un jeune mannequin
qui te ressemble, à la télévision. C'était
une présentation de mode, tu sais que je
les regarde, quand je peux, c'est si beau...
Je me dis quelquefois que je devrais travailler à mon compte, j'aurais des idées et
je pourrais monter un atelier de couture
dans le quartier. Les clientes ne manque-
raient pas. – Pourquoi tu ne le fais pas ?
– C'est trop tard. – Tu dis toujours que
c'est trop tard, pour tout. Pour vivre
aussi ? – Oui, ma fille, pour moi c'est trop
tard... Je travaille, je ne suis pas au chômage, ton père non plus. Tout va bien. »

Les soldats de l'ONU, que font-ils ?
Ils déminent ? Quel ordre faut-il faire
respecter, ou quel désordre ? Linn ne
comprend pas pourquoi ils sont là, dans la
ville, partout, et désœuvrés comme des
chômeurs. Des casques bleus dans les
belles maisons, les cafés riches, les cabarets. Ils dépensent l'argent inutile, il n'y a
pas la guerre, seulement des colonnes de
Khmers rouges dans les campagnes et des
millions de mines, partout. Ils sont à
Phnom Penh, pourquoi ? Linn pense aux
soldats américains en permission à Saigon
pendant leur guerre tropicale. Dans les
magazines de sa grand-mère elle a vu des
reportages de ces années-là. Des hommes
jeunes, vigoureux, qui s'ennuyaient dans
un pays trop étranger, trop loin de la
maison. Comme eux, les soldats bleus
déambulent en bandes, permission illi-
mitée. Dans des maisons sur pilotis,
rudimentaires, des sortes de cases béantes,
Linn voit, assises comme des petites filles

modèles autour d'une dînette de poupée, des Cambodgiennes très jeunes qui bavardent calmement. Elles ont l'âge de l'école. C'est l'après-midi. Elles sont ensemble, trois ou quatre, et elles parlent, elles jouent aux dés. Linn ne distingue pas ce qu'elles ont entre les mains, dés à jouer, cartes, pions, figures d'échecs ? Quelques heures plus tard, lorsqu'elle voit les soldats aller et venir dans la rue, s'arrêter au seuil des maisons fragiles, elle comprend que les enfants se passent des dollars qu'elles comptent pour s'amuser. Les hommes sortent des liasses de dollars de leurs poches militaires gonflées. Travail à domicile.

Le soir, dans la chambre, on entend des cris. C'est Linn qui crie. Gabriel tente de la calmer : « Tu voulais venir, tu es venue. À Saigon, aussi. C'est pas les casques bleus, mais des enfants se prostituent et ailleurs aussi... – Je le sais, j'ai vu des reportages, comme toi, je sais, mais là... – Là, tu vois, en vrai, c'est différent. Et qu'est-ce que tu veux faire ? Tu es venue changer le monde ? Non. Alors... Tu voulais voir le pays de ta mère, de ta grand-mère, on n'est pas loin, on ira. Mais si chaque fois que tu vois en chair et en os la misère, c'est la crise, alors là, tu pars seule à Saigon. – Mais tu les as vus, ces porcs, tu les as vus, des salauds pleins de fric, ils viennent pour la paix et ils couchent avec des filles de dix ans, douze ans, je les ai entendus rigoler en se montrant les filles des cabanes... Et personne pour les empêcher... Et tes ONG, qu'est-ce qu'elles font ? Les hommes de l'humanitaire profitent aussi des filles des tropiques ? – Ne dis pas de bêtises, Linn. – C'est ça pour eux l'exotisme, ils font de l'humanitaire sexuel en Asie, les soldats de l'ONU, c'est des soldats de l'humanitaire, des soldats de la paix, non ? Tu sais ce qu'elles devraient faire, ces filles ? Ou l'une d'entre elles, moins assommée par l'alcool et la drogue ? Prendre une arme, discrètement, et flinguer les gentils soldats une fois apprivoisés... C'est la seule solution. – Elles iront se prostituer ailleurs, Linn, tu es naïve. – Alors, qu'est-ce qu'on peut faire ? – Nous, rien, ou si peu. C'est une question juridique, politique, je vais pas te faire un cours... »

La rage, la colère. Linn pleure. Gabriel la prend dans ses bras. « On part demain, dans le village de ta grand-mère. On n'ira pas à Saigon. – On retourne à Paris, tu veux bien ? – Si tu veux. »

Le lendemain, Gabriel attend Linn à l'aéroport. Elle arrive en courant, accompagnée de deux petites Cambodgiennes, des sœurs jumelles, paraît-il.

Le bain
maure

.

Des femmes nues bavardent.

Assises sur les dalles vertes et blanches, à peine dissimulées par les vapeurs du bain, elles se parlent en gestes ronds. Les longs cheveux mouillés cachent à demi les seins lourds ; les tissus rayés, jaune, rouge, vert, collent aux cuisses grasses où des enfants petits se sont endormis. Sous les arcades, elles se reposent. Les masseuses sont allongées sur les nattes tressées, chacune la sienne. Esclaves depuis longtemps affranchies, les maîtres ruinés, elles ont quitté la maison patricienne et les bougainvillées, le pavillon où dormaient les domestiques, on ne les a pas chassées, elles étaient vieilles, il fallait laisser place à la jeune fille de la campagne qu'on paierait à peine et qui remplacerait, à elle seule, trois domestiques. Les Négresses sans famille ni maison se sont réfugiées au bain maure, hospitalier. Elles massent, en expertes, les femmes et les jeunes filles de la ville. Épouses que le mari délaisse, les vieilles le savent à la manière dont les corps s'abandonnent en confiance à leurs mains, on parle encore des miracles qu'elles ont accomplis. Vierges qu'elles parent pour la noce, une peau douce et odorante, corps lisse de petite fille, des cheveux lavés à l'argile, le henné colorant pieds et mains suivant le rite. La moindre imperfection, elles la maquillent ou l'exhibent, respectueuses du rang de la famille et de sa générosité. Mères et filles admirent et redoutent les Négresses du bain. Magiciennes, serviles, mais puissantes.

Chaque matin, Fabienne Larrieu contemple l'affiche du bain maure, collée haut sur le mur. Elle s'arrête longtemps, comme devant un tableau de maître. C'est une affiche de cinéma.

C'était la colonie. Que savait-elle de cette histoire de l'empire d'outre-mer ? On lui disait qu'elle était la plus belle, la mieux aimée, sa mère, les amies de sa mère qui se promenaient avec elle, à l'heure où s'ouvrent les volets des maisons, après la longue sieste. Elle marchait sur le sable mouillé, seule enfant, au milieu des jeunes femmes qui se parlaient d'elles, petits bonheurs, malheurs minuscules. Elles s'amusaient de ses cheveux qui frisaient avec la mer au crépuscule, toison de Négresse blonde, les mains de sa mère et de ses amies touchaient ses boucles serrées. « C'est doux, c'est doux... Un duvet crépu. Tu es la plus belle... Un cavalier de la mer t'enlèvera. » Lorsqu'elles revenaient vers la digue, il faisait nuit. Plus tard, le couvre-feu a enfermé femmes et enfants. La mer et le sable interdits à la

fin du jour, au moment où la fraîcheur
dorée de la lumière appelle à la promenade, il fallait rester dans la véranda
protégée. Elle s'ennuyait. Sa mère et ses
amies feuilletaient des magazines, des
revues de mode. De jeunes servantes
apportaient le thé. Pourquoi les hommes
étaient-ils absents ?

Sa mère ne le sait pas. Qu'aurait-elle
dit ? La bonne qui s'occupe d'elle, une
mulâtresse de vingt ans, l'emmène au
bain des femmes, le vendredi. Fatouma ne
lui a pas dit de se taire, elle n'en a jamais
parlé. La femme voilée et la jeune fille
marchent vite. Dans la rue, les hommes
regardent les cheveux blonds découverts,
relevés en tresses et les chevilles brunes
soulignées par le voile. Des garçons les
précèdent, d'autres les suivent, elle
comprend ce qu'ils se disent dans leur
langue. La servante presse le pas, serre le
voile sur son visage, elles marchent vite,
mais les garçons ne les quittent pas
jusqu'à la porte du bain maure. Ils seront

encore là, dans une heure, deux heures, heureux de les revoir, narquois, tenaces.

Au bout de la rue, sur le mur d'angle, l'affiche du bain n'a pas été recouverte. Une affiche de cinéma. Les femmes, dans le hammam, bavardent toujours. Elle n'avait pas remarqué contre la cuisse de l'une d'elles un plateau, des tasses, une théière, des friandises comme pour un goûter de petites filles. Avec la jeune mulâtresse, elle mangeait des oranges après le bain. La vieille, qui les avait lavées avec l'énergie hargneuse d'une femme qui a perdu son corps, les avait parfumées avec une eau de fleur d'oranger. À leur passage, les garçons s'extasiaient, feignant l'évanouissement, à l'odeur qu'ils reconnaissaient pour l'avoir sentie au bain, naguère, le jour des femmes. Passer l'après-midi avec leur mère et les amies de la famille, les voisines, dans les salles voûtées, sous les arcades fumantes, c'était licite. Plus tard, ils iraient avec leur père, le jour des hommes. Les garçons, debout contre les murs des maisons, font, pour elles, une sorte de haie jusqu'au quartier européen. Sa mère l'attend. « D'où tu viens ? Et toi, Fatouma, tu m'as demandé la permission de sortir avec Fabienne ? Où vous êtes allées, comme ça ? – Chez ma mère, Madame. On a bu le thé, avec mes sœurs. – Dans le *quartier nègre* ? Vous êtes allées jusque là-bas, toutes seules ? – Je connais, Madame, j'habite avec ma mère et mes sœurs, c'est chez nous, après la gare, le quartier arabe. – Mais c'est dangereux, tu le sais bien, Fatouma... Pas pour toi, mais Fabienne... Personne ne va au *quartier nègre*, personne, surtout en ce moment. C'est de la folie... S'il était arrivé quelque chose ? – Tous les jours, matin et soir, je fais la route, tu le sais, Madame, j'ai pas peur. Qui va me faire du mal ? Je connais tout le monde. – Je ne sais pas, moi... Tout ce que je sais, c'est que je ne veux pas que tu emmènes Fabienne là-bas. Tu as compris ? – Oui,

Leïla Sebbar

Madame. » Fabienne n'est plus retournée au hammam du *quartier nègre.*

En l'embrassant, ce soir-là, sa mère a dit : « Qu'est-ce que tu sens ? Une odeur bizarre. Pas mon parfum, je te l'ai interdit, alors c'est quoi ? On dirait l'odeur de l'orangeraie de ton oncle. – C'est la mère de Fatouma, elle m'a mis de l'eau de fleur d'oranger sur les cheveux, c'est la coutume quand tu vas dans une maison, Fatouma me l'a dit. – Ah ! bon. J'ai l'impression d'embrasser une pâtisserie. L'eau de fleur d'oranger, c'est pour les gâteaux... Mais tu as entendu ce que j'ai dit à Fatouma. Ne va plus au *quartier nègre*... On ne sait jamais. C'est la guerre, n'oublie pas. Elle nous a épargnés, jusqu'ici, mais ça ne va pas durer. »

Fabienne Larrieu marche vite. Elle est en retard. Elle est conservateur dans un musée. Ce matin, elle ne s'arrêtera pas, comme les autres jours, devant un tableau

orientaliste qui l'étonne encore : *le Bain
turc.*

L'été, le parc ferme à vingt et une
heures.

Dans le jardin de la maison coloniale,
elle avait son carré. « Fleurs ou légumes,
a dit sa mère. C'est ton jardin. Avec
Fatouma, vous ferez ce que vous voulez.
Son père travaille à la ferme, il lui
donnera les plants, les graines, les semis...
À vous de décider. » Dans la bibliothèque
familiale, de mère en fille, les romans de
la comtesse de Ségur, couverture rouge
estampillée, tranche dorée, occupent
l'étagère à hauteur d'enfant. Sa mère lui
achète les derniers livres publiés en
métropole, mais elle préfère les histoires
de Sophie et des petites filles modèles.
Dans la lingerie où repasse Fatouma, elle
a son banc en bois d'olivier, elle s'assoit
en face de la grande table, à l'heure de la
sieste, on croit qu'elle dort, elle lit à voix
haute ses livres favoris. Comme les petites

filles de la Comtesse, elle a dessiné son jardin, elle a planté, arrosé, surveillé, désherbé, récolté, avec Fatouma, et elles ont mangé les fèves, les petits pois, les poivrons ; les piments piquants, Fatouma les donne à sa mère.

Les arbres du jardin, l'orangeraie, elle les a retrouvés dans les parcs publics, mais domestiqués, plantés dans des pots géants, réduits à vivre dans des serres, enfermés, mélancoliques. Elle traverse le parc pour aller prendre le bus. Elle s'y promène comme dans un jardin familier, le jardin de sa mère. À cause du couvre-feu, il ne fallait pas quitter la maison, c'était l'heure odorante, la plus douce, Fatouma était déjà partie, elle habite loin. Elle s'ennuyait.

Fabienne Larrieu n'a pas dormi cette nuit. Elle marche vite, elle sent que l'image n'est plus la même. Elle lève les yeux vers l'affiche de cinéma. Les femmes au bain ont disparu. Sur l'affiche publicitaire, elle lit : « L'Orient a donné sa réglisse à notre 51. » À gauche de l'étiquette « Pastis 51, Pastis de Marseille », le même chiffre sur fond de faïence mauresque, dessiné comme des arabesques. L'été, Fatouma lui donnait à boire de grands verres d'Antésite avec beaucoup de glaçons. Est-ce que ça existe encore ? Elle se rappelle la couleur brune du réglisse, on disait « du réglisse » pas « de la réglisse », et le goût sucré, piquant, du coco dans les petites boîtes rondes et plates, rouges. Si elle avait eu une fille, elle aurait peut-être réclamé de l'Antésite et du coco. Peut-être serait-elle revenue, comme d'autres, dans la maison d'enfance, des hauts quartiers. Enfermée dans la véranda, la mer noire des soirs d'orage avait la couleur de la guerre, et si elle fixait longtemps la crête des vagues, elle verrait galoper vers elle le cavalier miraculeux qu'une amie de sa mère lui a promis un soir de promenade. L'a-t-elle rencontré, ce cavalier ? Elle n'a pas eu d'enfants, ni fille ni garçon. Le jardin de sa mère, la fleur rouge du grenadier dans ses cheveux, iris et bougainvillées, le désordre du verger, elle ne les reverra pas. Ce pays a disparu. Un autre pays existe qu'elle ne connaît pas.

Le parc qu'elle habite, pas à pas, comme son propre jardin, d'autres le parcourent, arpenteurs méticuleux, photographes qu'elle croise au même endroit, aux mêmes heures, le matin et le soir, coureurs de fond, jeunes hommes désœuvrés qui guettent les étrangères de passage, couples enlacés sur les bancs verts près des statues de pierre. Elle passe toujours plus lentement sur le chemin blanc qui longe la statue qu'elle préfère. Trois Nègres vigoureux, musclés, (l'un d'eux est vêtu d'une tunique longue dont les pans couvrent le sexe des deux autres), portent un lion mort, la langue pendante, tendus dans l'effort, ils marchent sous les Tropiques, jusqu'à l'arbre voisin qui pousse ses branches pleureuses vers le sol.

L'homme et la femme sur le banc contre le chemin, indifférents aux Nègres et à leur fardeau, s'embrassent. Plus loin un employé africain, casquette américaine, jean et tennis, nettoie le bord du lac avec une épuisette verte. La première fois, elle arrivait du pays natal, son pays abandonné pour toujours ; lorsqu'elle a découvert le petit palais ottoman, elle a su que ce parc serait le sien. Les coupoles, les terrasses, les fenêtres mauresques, le patio et jusqu'aux moucharabiehs, la réplique d'un palais fameux sur l'autre rive. Il servait d'observatoire ?

Fabienne Larrieu a l'habitude de s'asseoir sur un banc du parc, face au palais oriental, en contrebas. Elle lit. Chaque fois qu'elle lève les yeux, les coupoles vertes qu'on détruira bientôt, mais elle l'ignore, la frappent au cœur, réellement ; sa main sous le sein gauche, elle entend les battements précipités. Elle pense : « Je suis folle... Je n'ai jamais vu le palais de la ville carthaginoise et j'ai le cœur qui bat

Leïla Sebbar

comme si... » Des garçons font le tour de la grande maison mauresque, ils parlent avec des gestes larges, ils parlent fort, elle reconnaît la langue étrangère, des sons lui parviennent, dans le désordre. Les jeunes hommes se rapprochent, ils marchent vers le banc où elle fait semblant de lire. Ils s'assoient tous les trois, bavardent long-temps, mêlant à leur langue des mots de sa langue, les mots du pays des ancêtres, le pays natal des garçons dont elle aper-çoit les mains brunes qui accompagnent les rires roulés et les mots familiers. Deux d'entre eux se lèvent, saluent l'ami qui reste encore, le parc ferme ses grilles dans une heure.

Le jeune homme ne parle pas, ni elle. Soudain, elle le regarde en plein visage. Ses yeux sont noirs, de grands yeux obliques, orientaux. Elle l'embrasse.

On entend les coups de sifflet des gardiens. Il est vingt heures cinquante.

« Vous êtes belle »

.

La fille ne le voit pas. Il la regarde.

« Si elle descend, je descends. J'irai jusqu'au bout de la ligne, la plus longue. Cette ligne n'est pas la mienne. Je dirai que j'ai été malade hier soir et que j'ai passé la journée couché. Je dirai que j'ai appelé le médecin. Le patron me croira. Je suis rarement absent et j'arrive à l'heure. Il me croira. Le wagon est presque vide. Personne pour m'empêcher de la voir. »

Il pourrait se déplacer pour se rapprocher d'elle. Il reste assis, raide, attentif. Il ne bouge pas, il craint de l'effaroucher.

Il sait regarder les femmes. L'habitude. Dans la ville, il n'a jamais pensé qu'il pourrait habiter ailleurs, à cause d'elles, dans sa ville, depuis plusieurs générations, comme s'il était né avec elle, la ville, Paris, la seule ville de l'univers entier où il vivra toute sa vie, sans jamais la quitter, il sait où trouver les femmes et comment les regarder sans les offenser.

Il avait à peine treize ans, plutôt petit, il se faufilait partout, les patrons de bistrot ne l'ont jamais remarqué, et après tout, il avait le droit d'aller pisser dans les toilettes, même mineur... Un jour, il sort des cabinets pour hommes, sur la porte un H majuscule, cette fois c'était pas écrit en anglais, il n'a pas vu de silhouette masculine découpée et collée sur le faux bois... Il déteste les cabinets à la turque, il paraît que c'est plus propre, l'eau de la chasse arrose les pieds en faïence et les pieds des clients. Les siens, cette fois-là, étaient mouillés jusqu'aux chaussettes, comme s'il s'était enfoncé sur le bord vaseux d'une rivière. La porte au F majuscule est ouverte. Surprendre une femme qui se maquille, une vraie, en chair et en os... il n'y a jamais pensé. Dans les magazines,

Leïla Sebbar

à la télévision, les publicités, il fait pas vraiment attention. Ces femmes ne sont pas des femmes. Et sa mère... Elle est partie, il était tout petit, son père l'a élevé sans femme à la maison, il n'a pas de sœur, un frère plus vieux qu'il connaît à peine, il voyage en Orient depuis des années, il dit dans ses lettres qu'il ne reviendra pas en Europe.

Une femme est debout devant le lavabo, il aperçoit son visage dans le miroir taché d'éclats noirs. Elle a posé une trousse en plastique rouge contre le robinet de gauche. Dans les films en costume, les femmes se maquillent dans un boudoir avec des fleurs et des drapés rouges, des dentelles et des lumières dorées. Après des années de vagabondage dans les sous-sols des bistrots de la ville, il a vu ces femmes. Il a été ébloui comme devant les images tendres et chaudes des films. Il est encore petit lorsqu'il surprend pour la première fois une femme, son reflet dans la glace, les yeux inquiets, les gestes sûrs. Elle peint ses lèvres. Il suit le pinceau avec la même attention que la femme, et sa bouche à lui s'ouvre et se ferme au rythme du pinceau. Il ne voit pas le tube de rouge à lèvres. La femme tient dans la main gauche une boîte minuscule où le pinceau va et vient. Il entend la chasse d'eau des hommes, des pas dans l'escalier. Il laisse passer une cliente qui se précipite dans les W.-C. Qu'est-ce qu'elle a ? La femme ne s'est pas interrompue, elle range le pinceau et la petite boîte dans la pochette rouge. Ses yeux dans la glace se fixent sur lui :

« Mais qu'est-ce que tu fais là ? »

Elle parle avec un accent bizarre.

« Rien.

— Comment, rien ? Tu as l'habitude de faire ça ?

— Non, non.

— Tu sais que c'est mal d'épier...

— Non.

— Pourquoi tu restes là, planté... Les

bistrots, c'est pas pour les enfants. Et des bistrots comme celui-là...

— Qu'est-ce qu'il a ? »

La femme éclate de rire. Elle a une grande bouche rouge, très rouge. Elle n'est pas jeune, pas vieille non plus. Elle s'approche de lui, tout près, comme si elle allait l'embrasser.

« J'ai un fils, il a ton âge. Si je le voyais là, dans les toilettes côté Femmes, debout, collé contre la porte, tu sais ce que je lui ferais ?

— Non.

— Je lui donnerais une bonne paire de gifles...

— Pourquoi ?

— Parce que c'est pas la place des garçons de douze ans...

— J'ai treize ans... »

La femme rit, se penche vers lui, fait semblant de l'embrasser.

« Allez, file... Et que je ne te revoie plus dans ces bars à putes...

— Ces quoi ?... »

« Vous êtes belle »

Il a mal entendu la fin de la phrase.

Depuis ce jour, il se glisse partout où des femmes, assises ou debout devant un miroir, dessinent un visage de femme. Il continue à guetter les toilettes des palaces et des bars à putes. Les cafés chantants qui existent encore, il les connaît tous, mais il n'a pas retrouvé la danseuse qui mettait trop de rose à ses joues, avant de remonter dans la salle où l'attendaient des hommes assis sur des bancs, serrés, sévères, et trois musiciens habillés en costume du Grand Sud saharien. L'un des hommes chantait. Pas la femme. Elle portait une longue robe rose à manches bouffantes. Une très jeune fille, d'après le miroir. Elle a dansé. Les hommes ont collé des billets à son front en sueur, entre ses seins, dans le décolleté de la robe en mousseline. Il est parti avant la fin, il est revenu plusieurs fois, elle n'était plus là. Il l'a cherchée derrière chaque son de la

Leïla Sebbar

flûte aigre, il ne l'a pas trouvée, il ne l'a plus cherchée.

Elle ne pouvait pas être là. Qu'aurait-elle fait dans la loge d'une célèbre cantatrice ? Une danseuse orientale des cafés chantants où les toilettes puent jusque dans la rue... Il a cru la voir, silhouette menue, robe vaporeuse et rose, des joues trop rouges. Elle aurait chanté dans le chœur ? La cantatrice s'est assise devant le vaste miroir, seule, comme abandonnée, elle ne le voyait pas, les yeux fixes. Elle avait refusé la maquilleuse, et lui qui l'attendait à sa porte n'avait pas eu à se cacher, elle l'avait laissé entrer, il s'était assis dans l'ombre, elle, figée dans la violence blanche des spots. Il n'avait jamais vu une telle quantité de cosmétiques. Il sentait une odeur de poudre, la même que celle du café chantant. Il s'est demandé si la femme n'allait pas pleurer. Elle n'a pas pleuré. Ses gestes étaient lents et ronds. Son visage s'est coloré, ses yeux se sont mis à vivre, sa bouche rouge lui a souri, de loin, comme si elle se réveillait. Et soudain, elle s'est mise à chanter, il la voyait, vivante, héroïne excentrique d'un opéra qu'il n'avait jamais entendu chez lui ; son père aime l'opéra, il l'a emmené, pas souvent, parce qu'il disait que ça l'ennuyait.

Dans la loge où la cantatrice s'est maquillée seule, il ne s'ennuie pas. Il la regarde chanter et elle se regarde chanter. Elle l'a oublié. Lorsqu'elle s'arrête, elle le remarque :

« Mais qu'est-ce que tu fais là ? »

Elle parle avec un étrange accent.

« Rien.

— Comment rien ? Tu sais où tu es ?

— Oui. C'est vous, tout à l'heure...

— C'est vrai... J'avais oublié.

— Vous êtes belle. Et votre voix... Vous êtes belle. »

La femme dans la loge de l'opéra regarde l'enfant qui dit :

Leïla Sebbar

« J'avais envie de pleurer.

— Mais tu peux pleurer... Les hommes pleurent aussi... »

Il a grandi. Il est assis dans le métro.

Elle aurait l'œil tendre des gazelles apprivoisées dans la chambre des palais ottomans ? Elle se regarde dans le petit miroir qu'elle tient près de ses yeux. Elle met trop de poudre. Elle veut se blanchir ? Il voit ses mains brunes, les Caraïbes ? les déserts africains ? Son visage qui pâlit. Elle a des gestes rageurs. Le pinceau poudre encore et encore, le nez, le front, les joues, le menton, le tour des oreilles, un peu le cou au-dessus du col de la chemise. Elle s'arrête, le regard froncé, anxieuse, recommence. Ils sont bientôt seuls dans le wagon. Il n'a pas bougé, ni elle. Avec un bâton court et fin, elle borde ses yeux d'une poudre noire, habile.

Elle est jeune. Elle est belle.

Il voudrait lui dire : « Vous êtes

Leïla Sebbar

belle. » Elle ne le voit pas. Elle ouvre à nouveau le poudrier, il sent l'odeur blanche et dorée. Elle s'acharne. Elle dessine un trait plus épais autour de la bouche pulpeuse, avide. Elle roule une boucle noire sur le front, à gauche, avec de la salive.

C'est le terminus.

Il se lève, se dirige vers la porte, elle est encore assise, son miroir de poche à la main.

Il lui dit : « Vous êtes belle » à voix basse, elle n'a pas entendu. Il répète, plus fort : « Vous êtes belle, vous êtes belle... » La fille se lève d'un bond et se met à hurler. Elle crie encore, lorsqu'il arrive en courant au bas de l'escalier, à l'autre bout du quai.

La santé

On lui a dit : « Là-bas, c'est la liberté. »

Sur le mur, au chevet du lit étroit, des cartes postales de la ville natale, Alger. Il ne les regarde pas, elles sont là, dans son coin à lui, les deux autres ne les voient pas, ils préfèrent les photos des magazines, où les femmes montrent tout, jeunes et belles, blondes de préférence, ils découpent et ils scotchent sur leur mur. Son histoire, sa ville, son pays... s'il en parle, ils n'écoutent pas. Ils complotent à voix basse en lui tournant le dos. Il a compris, il ne parle pas. À l'heure de la promenade, parfois au moment de l'atelier, il retrouve un homme du pays, plus vieux que lui, d'une autre ville où il n'est jamais allé, à l'est, c'est loin, lui n'a pas quitté Alger, ce n'est pas qu'il l'aime, c'est qu'il fallait vivre au jour le jour, ou plutôt « à l'heure l'heure »... Il est né, son père ne l'a pas vu. La première fois, il avait trois ans. Le père travaillait en Allemagne, à Hambourg, pourquoi il avait émigré dans ce pays-là ? Peut-être le père de son père avait-il été fait prisonnier pendant la guerre ? Personne ne savait rien du grand-père et lorsque Mourad posait des questions, on ne lui répondait pas, ni sa mère ni l'oncle. La grand-mère vit dans un petit village qu'il ne connaît pas, il sait qu'elle s'appelle Yamina, il ne l'a jamais vue.

Le père a promené l'enfant, son fils, le dernier-né, dans la ville, partout. Ils marchent, la main de l'enfant dans la grande main dure de l'homme qui revient d'un pays riche. Ils vont dans les cafés, chez les amis, le père est bavard et généreux. Cet été-là, les cadeaux n'ont pas manqué, la famille... Ils sont nombreux, il n'a oublié personne. Il parle de la belle voiture qu'il a laissée dans l'autre pays, une Mercedes ; l'année prochaine, il fera le long voyage, et il repartira avec femme et enfants. Mourad l'a attendu, l'été suivant, sa mère, ses sœurs, son frère l'ont attendu. Ils regardaient les cartes postales de la ville allemande que le père avait envoyées, les reportages à la télévision, les films allemands, avec la parabole, ils voient ce qu'ils veulent. Le père n'a plus envoyé le mandat mensuel, trois mois après son départ. Les années ont passé, Mourad a pensé que son père ne reviendrait plus, plus jamais. La famille n'a pas eu de nouvelles, l'oncle ne recevait plus ni lettre ni mandat, c'est à l'oncle que le père faisait écrire par un écrivain public de hasard, chaque matin la mère interrogeait son beau-frère, l'aîné du mari émigré, à la fin elle n'a plus espéré. Jusqu'à ce jour, ils ne savent rien.

La santé

La mère a fait des ménages, les enfants allaient encore à l'école et lui, Mourad, suivait sa mère dans les bureaux des administrations. Jusqu'à sept ans, il a attendu, seul enfant parmi les femmes de ménage qui travaillaient en équipe, que cesse le bruit de l'aspirateur, le long des longs couloirs. Sa mère au chômage une semaine sur deux, il n'est pas allé long-temps à l'école. Il s'est débrouillé, dans la ville, comme son frère, pour nourrir la famille. Il a tout fait. Les touristes, il y en avait encore, étaient souvent généreux. Il a fait tout ce qu'ils demandaient.

À son compagnon de promenade, il ne dit rien de son délit, ni lui. Il sait que son compatriote a demandé à être avec des hommes pieux, comme lui, dans la même cellule. Le directeur a refusé. La cellule deviendrait un centre politique, de la piété au fanatisme... une cellule de propagande. Il s'est retrouvé avec des impies qui ne

Leïla Sebbar

croient ni à Dieu ni à Diable, seulement à l'argent, l'argent sale, comme lui avant le miracle. L'homme parle du Prophète, du Livre saint, il rappelle les prescriptions. Il raconte à Mourad B. une religion qui ressemble à la religion de sa mère. Le bruit de l'aspirateur l'empêchait d'entendre les mots de la prière. Il n'a rien appris. Il n'a pas eu de temps pour la mosquée et Dieu l'a abandonné, au moment où son père disparaissait pour toujours. L'homme qui marche à son côté lui dit : « Si tu restes assez longtemps ici et moi aussi, si on ne te déplace pas, ou moi..., tu sauras qui est le vrai Dieu, tu trouveras le chemin de Dieu, sans te tromper, le miracle s'accomplira, il faut m'écouter, il faut me croire. – Mais je t'écoute, tous les jours, je crois ce que tu dis, j'apprends les prières comme tu me les apprends, et Dieu ne vient pas. – De la patience, mon fils, de la patience, tu sais que le quatre-vingt-dix-neuvième nom de Dieu, c'est le Patient et tu sais combien le Prophète a dû lutter pour gagner les idolâtres à l'amour de Dieu, il a eu la patience. – Moi aussi, j'ai la patience, moi aussi j'ai lutté pour la vie, ma mère, mes sœurs... – Dieu vous a aidés, elles sont vivantes, non ? – Dieu ne m'a jamais aidé, jamais, tu m'entends. – Parce que tu ne l'as pas aimé et si tu aimes Dieu ce n'est pas pour lui demander secours. Tu n'as rien à lui demander. Dieu aime ceux qui l'aiment et qui ne cherchent pas la récompense. – Et le Paradis, alors ? – C'est la promesse des hommes pour les faibles, ceux qui ne sont pas dans le chemin de Dieu. C'est long, difficile. Si tu t'impatientes, tu resteras dans l'erreur et tu commettras le pire, contre Dieu. – Le pire, c'est quoi ? – Tuer des hommes, des femmes, des enfants, en son nom, c'est ça, le pire. Ceux-là sont des criminels. Ils ne méritent pas la mort ni la prison, mais l'Enfer, le châtiment éternel... – Mais, la guerre sainte, le Prophète l'a encouragée, non ? – Pour l'amour de Dieu, l'Unique, le Miséricordieux, pas pour tuer les hommes, pour vaincre l'idolâtrie, il a voulu convaincre, parfois par l'épée, il le fallait... – Dieu ne m'a jamais parlé, il ne me parle pas, Dieu n'est pas en moi... – Les prières te conduiront à Lui. N'oublie pas ce que je te dis, ne renonce pas à la prière, tu as le temps, ici, et ce qu'il faut pour les ablutions, tu connais les instructions religieuses pour être en état de prier, je te donnerai un petit livre, en langue arabe et en français, si personne ne t'a appris, c'est simple, " les cinq piliers de l'islam " sont les plus faciles à respecter pour celui qui aime Dieu, pour le bon musulman, tu verras. Tu es allé dans une mosquée ? – Avec mon oncle une seule fois, il a été tué en sortant du commissariat, il travaillait dans la police, un petit employé, tout petit, on l'a tué quand même. »

Leïla Sebbar

La santé

Après la mort de l'oncle, la mère a décidé de quitter la capitale. Les garçons sont restés, elle est partie avec les filles, au village. Il fait froid l'hiver, il neige, l'école est à plusieurs kilomètres, elles n'iront plus en classe. Comme les vieilles, si les tapis se tissent encore dans la montagne pour l'Office national de l'artisanat, elles feront des tapis, elles apprendront et elle retrouvera le métier à tisser maudit, si ses yeux le lui permettent. Sinon, les fils enverront de l'argent, s'ils en gagnent, s'ils travaillent, s'ils ne passent pas des journées entières debout contre les murs des immeubles, sous les balcons, où bavardent les filles qui ne sortent pas. Mourad a gagné de l'argent, beaucoup d'argent, il ne dit pas comment. Le facteur, à bout de souffle en haut du chemin, apporte les mandats à la maison. Chaque mois, un mandat. D'abord d'Alger, puis de la ville, outre-mer, la ville dont elle ne veut pas prononcer le nom, la ville de la

Leïla Sebbar

malédiction, c'est ce qu'elle pense, chaque fois qu'elle touche l'argent de là-bas, l'argent de l'Enfer, elle est sûre qu'il vient du pays du Diable et les billets brûlent ses doigts, elle les touche à peine, ses mains lui font mal, les billets rangés dans la vieille boîte en fer, au fond du coffre, serviront à marier ses filles. Elle les brûlerait à la braise, si ses filles ne risquaient pas de rester sans mari, à sa charge.

Avec l'argent, il a acheté son départ.

On lui avait donné des adresses, des noms, en France, surtout. On lui avait dit : « Si tu viens, n'hésite pas. » Il n'a pas hésité, il ne connaissait personne, il a cherché, partout, les adresses et les noms à la main. Il a passé des jours et des jours dans Paris, à marcher en tous sens, à la fin, il n'avait plus d'argent. Il a envoyé le dernier mandat au village, avant de gagner à nouveau le mariage de ses sœurs. Il n'a retrouvé aucun des hommes.

Leïla Sebbar

« Les amis du monde arabe », comme ils aimaient à dire d'eux-mêmes, habitaient ailleurs, portaient d'autres noms. Il est venu, ils n'étaient pas là. « Surtout, n'hésite pas, tu auras toujours un toit... » Il a renoncé à trouver un toit amical. Les toits de la nuit l'ont accueilli. Dans sa ville, il allait à l'hôtel, des palaces, il en restait encore, on l'emmenait chez les riches, les puissants, des maisons dans les pins, jardins et fontaines, des villas hors de la ville où les vagues frappaient les hauts murs, il a découvert, dans son pays, un pays qu'il ne connaissait pas. Des nuits d'enfant gâté, quand il fallait des heures et des heures de *chaîne* pour se nourrir, et que la pénurie désespérait les mères de famille, la sienne, il le savait. Il ne revenait plus à la maison. Les étrangers providentiels ont eu peur, ils sont partis, il allait les rejoindre dans leurs belles demeures, il voyagerait de palace en palace, jusqu'où ?

Lorsque son compagnon de promenade lui a parlé, la première fois, du Seigneur des Mondes, il n'a pas compris. « C'est Dieu, Créateur de l'Univers, l'Unique, Celui qui n'a pas été créé, Dieu n'est pas le père de Jésus, Jésus n'est pas fils de Dieu. C'est un prophète, comme notre prophète. » Il a fait l'éloge de la prière, du dénuement, de la charité. Mourad B. lui a dit que la misère ne l'a pas conduit vers Dieu. « Elle t'a conduit jusqu'à Satan le furtif... – Je ne sais pas, mais Dieu nous a abandonnés, comme mon père, et ce que j'ai fait, c'était pour pas mourir. Dieu, Satan... Ma mère priait, moi non. Elle me disait d'aller à la mosquée, pour quoi faire ? Où j'aurais trouvé l'argent ? Tu me parles, je t'écoute, tu lis le Coran et les paroles du Prophète rapportées par les compagnons qui lui ont survécu, je t'écoute, mais je n'entends pas. Tu comprends ? Je n'entends pas. Je n'entends rien. » Mourad B. se met à crier, c'est la fin de la promenade, l'homme tente de le calmer, il hurle : « C'est Lui qui ne m'entend pas, même si mes prières je les crie vers Lui, Il n'entend pas. » Deux gardiens se dirigent vers eux. « Qu'est-ce qui se passe ? – Pour lui, Dieu s'est arrêté à la porte de la Santé », dit l'homme. « Qu'est-ce qu'il raconte, celui-là, il est maboul ou quoi ?... Bon, c'est la fin de la promenade, allez, la cellule, ça va le calmer. » L'homme a glissé dans la main de Mourad B. un chapelet de quatre-vingt-dix-neuf perles en bois de grenadier. « Il vient de La Mecque, les perles sont douces, des perles sacrées. » L'un des gardiens fait un signe à l'autre qui dit que non, ce n'est pas interdit, cet objet ne figure pas sur la liste. Il sort de sa poche la liste réglementaire : *Objets interdits.*

- *Gants de cuir, de skaï.*
- *Foulard.*
- *Cravate.*

Leïla Sebbar

- Cagoule ou bonnet double ou simple.
- Robe de chambre.
- Peignoir.
- Ceinture, Ceinturon, Ceinture médicale (Gibaut).
- Blouson ou veste cuir, skaï, daim ainsi que vêtement trop épais.
- Nécessaire de toilette, de correspondance.
- Serviette de bain de plus de 1,20 x 1,20.
- Chaussure, chausson, tennis, pantoufle.
- Tabacs.
- Mouchoirs papier.
- Tout produit alimentaire.
- Tout vêtements Bleu marine, vert armée, camouflés.

La liste, écrite à la main, est affichée à l'arrière de la prison, près de la porte réservée aux visites des familles.

« Un chapelet, c'est pas assez solide, c'est pas avec ça... », dit le gardien en refermant la cellule de Mourad B.

Leïla Sebbar

La santé

Libre, oui. Comme un clandestin. Qui lui aurait interdit les bars, les boîtes, les cabarets où d'autres garçons gagnent leur nuit et le jour suivant ? Le père disparu en Allemagne, le grand frère en Australie si le bateau, *babour Australia*, s'est arrêté pour lui à Alger, la mère et les sœurs séquestrées volontaires dans la montagne... Son pays, sa ville... Il est né par hasard et par malheur dans une ville marâtre, ville maquerelle. Elle n'a pas été bonne avec lui, elle ne l'a pas aimé et il ne l'aime pas. Il n'y reviendra plus. Comme son père...

Paris ne l'a pas adopté, lui non plus, il est libre. Il sait ce qu'il faut faire pour éviter les vérifications policières et la tribu ne le surveille pas. La solidarité, il devra la payer cher, il n'en veut pas. Il connaît les filières, les réseaux, il préfère la solitude, il pense que sa liberté est à ce prix... Le prix des passes et des nuits travesties, en chambre, au bois, sur scène...

jusqu'à la rencontre. Ne pas dormir dans la rue comme un pauvre de chez lui, même si les pauvres de ce pays sont moins pauvres. Ils « récupèrent » dans les grandes bennes vertes sur les trottoirs de la ville, ils prennent le temps de choisir, pour meubler le banc qu'ils habitent. Il les a vus dormir, chacun sa planche sur le banc double du boulevard sous les marronniers. Cinq heures du matin, il sortait de la nuit où on l'avait déguisé en Lawrence d'Arabie... d'après une photographie tirée en poster, c'était une soirée spéciale. On avait dressé une tente sous un faux palmier. Une soirée « Désert ». Les tapis sous la tente sont des tapis de haute laine, de ceux que les femmes du djebel Amour tissent encore, celles qui n'ont pas suivi le père ou le mari, Harkis déportés à Lodève, où elles tissent pour le Mobilier national, pendant que les hommes, qui se sont trompés de guerre, désespèrent, oubliés, maltraités, désœuvrés. Cinq heures du matin, l'heure heureuse où il marche seul dans la ville et où il pense qu'il peut vivre encore. L'homme et la femme dorment, couchés sur le côté, se tournant le dos, le banc est étroit. Un chien des Pyrénées les garde, assis sur un tapis au pied du banc. Il surveille la guitare, le carton à dessin, la bouteille de whisky, les sacs gonflés, le tapis de sol roulé, les provisions à l'abri de l'arbre, le parapluie, la peau de mouton en descente de lit, du côté de la femme.

Mourad est heureux, il regarde des vagabonds heureux, libres... Des artistes comme lui. Il joue la comédie, on lui dit qu'il est doué... Pour quelles planches ? Le lit, la scène... Pour l'instant... On lui dit qu'il est beau, ses yeux gris, ses cheveux blonds, frisés, un Arabe qui fait semblant de pas être arabe... Ça plaît. Les clients aiment être surpris, certains donnent un supplément et quand ils touchent la vérité... Il gagne de l'argent, beaucoup

Leïla Sebbar

d'argent. Il dépense tout, n'importe comment. Il n'oublie pas le mandat. Il l'expédie à une date précise, d'un bureau de poste précis, chaque mois.

Il attend l'heure de la promenade. Ils ne partagent pas le même atelier. Avec un carton de récupération, l'homme a fabriqué une planchette coranique ; il dit à Mourad B. : « C'est pour toi. J'ai appris comme ça avec une planchette qui servait d'ardoise. La planchette de mon père, en bois d'olivier, je l'ai laissée à l'école coranique pour mon frère cadet. C'est facile, tu vas voir. J'ai la craie, le chiffon, le carton est solide, j'ai une réserve... Tu vas voir, tu sauras lire, mieux que moi, si tu veux apprendre. » Ils s'assoient contre le mur, sur le ciment de la cour, l'un près de l'autre. Le maître improvisé, l'élève provisoire. Mourad B. est calme, attentif, il ne crie plus. Son compagnon est patient, il ne lui parle plus de Dieu, ni de prescriptions, ni de prière. Il lui raconte la vie du Prophète, serviteur de Dieu, chef de guerre et chef d'État, amoureux de ses femmes, mais il a préféré la jeune Aïsha, la plus jolie, la plus vive, la Mère des Croyants, celle qui a osé poser les questions difficiles à Muhammad, le Sceau des Prophètes, son époux bien-aimé, tendre et bienveillant, l'homme qui est mort dans ses bras, celui qui aimait Dieu, les femmes et les parfums, dit-on. Mourad B. écoute les histoires, il interrompt le conteur. « C'est des histoires... – Oui, des histoires vraies. Ce que je te dis, tu dois le croire, c'est la vérité. Des savants l'ont écrit. Quand tu sortiras, tu iras lire leurs livres dans la langue du Livre. Tu apprends vite. Tu vas devenir un Docteur de la Loi... » L'homme rit et regarde Mourad B. qui dessine les lettres qu'il lui dicte, appliqué, il tire la langue comme un enfant, des plis se forment entre ses sourcils lorsqu'il lit les phrases tracées par le maître, il suit les lignes, de droite à gauche, l'index collé à la planchette. « Doucement, tu vas faire un trou dans le carton... C'est du carton, pas du bois d'olivier. » Le maître écrit les phrases, serrées, la place manque, des deux côtés de la planchette. Mourad B. garde le papier d'emballage des colis des autres. Lui n'en reçoit pas. Il n'a pas d'amis. Il n'a pas voulu. Il prétend qu'un jour, il fera une rencontre, ce jour-là, il ne voudra plus mourir. Sur la table de la cellule, il tourne le dos aux deux autres qui se moquent, il défroisse les papiers, les lisse. « Regarde-le, il repasse, comme une gonzesse... – Tu vas dessiner des patrons sur ton papier kraft ? Ma femme, elle fait des patrons pour coudre... Elle fait comme toi... C'est pour des robes ? Chez vous, les hommes portent des robes, comme les femmes... » S'il répond, ils vont se battre. Dans la rue, il aurait frappé, il est grand, on ne l'attaque pas. Ici, en chambre, il apprend la patience, il ne répond pas. Seul dans la cellule, ils sont au foot, il fait ses cinq prières en une fois. Les papiers aplatis, il les découpe en pages qu'il rassemble en cahiers, des cahiers de poche, la nuit il les cache sous son oreiller. C'est ainsi qu'il a écrit plusieurs versets qu'il apprend par cœur. Il recopie celui que son maître lui récite souvent : « Les œuvres des Infidèles ressemblent aux mirages du désert ; les prenant pour de l'eau, l'altéré les poursuit sans jamais les atteindre. Ce qu'il trouve, c'est Dieu, au jour du Jugement... »

Mourad B. pense à ses anges. Ils sont revenus. Sa mère lui a dit qu'ils l'accompagneraient toujours, les mêmes, de la naissance jusqu'à la mort, l'un à droite, l'autre à gauche, dans le bonheur et dans le malheur. Elle lui a recommandé, souvent, d'adresser des prières à ses anges, mais il avait à survivre, il les a oubliés, ils ont disparu, jusqu'à ce jour où il sait qu'ils sont à ses côtés, la nuit, le jour et encore la nuit, ils sont près de lui, ses amis, ses complices, ils le protègent, il a besoin d'eux, présents, invisibles, légers comme la lumière, ils sont sa lumière, ils sauront le mettre dans la voie de Dieu, si Dieu le veut. Il n'a pas raconté au maître sa visite au Professeur Mamadou, « authentique marabout africain », « Détenteur de puissants dons héréditaires ». Il a laissé dans la chambre du marabout ses derniers billets, et l'amulette du « Grand Médium », après deux semaines désespérées dans la ville étrangère, il l'a jetée au milieu des décombres, dans la benne verte de la ville de Paris. Qui aurait l'idée de voler un fétiche ? « C'est ton âme que j'ai enfermée dans ce petit sac, loin de Satan. » Son âme, dans la décharge avec les ordures de la ville... il a perdu son âme. Il sait, aujourd'hui, ce que le maître lui aurait dit : « La connaissance de l'Invisible est réservée à Dieu. »

La santé

Ses anges, l'un à sa droite, l'autre à sa gauche, ne le quitteront pas, ils sont sa fine lumière. Ils vantaient sa beauté, sa grâce. Il entendait les mots inconnus. Éphèbe... Adonis... on parlait de lui, allongé sur le sofa. Sa peau blonde au soleil, ses cheveux dorés, il s'endormait dans l'éloge et reprenait des forces pour la nuitsans sommeil, la fête jusqu'à l'aube. Ils avaient dit : « Surtout, n'hésite pas. » Dans la ville, outre-mer, ils n'étaient plus là... Ils étaient là, il ne savait pas où, il n'a pas trouvé leur nom dans le Bottin. Il avait rêvé cette vie, ces hommes, ces maisons comme des palais, ces domestiques dressés, ces chambres ? Les pavillons d'amour dans les jardins, et les fontaines jamais taries ?

Mourad tourne comme un derviche sur la scène. Les paillettes et les spots l'aveuglent, il tourne jusqu'au vertige, il vient d'apprendre la mort d'un compagnon de nuit. Le sida. Il s'effondre et répète : « Le sida... le sida... le sida... le sida... », de plus en plus fort. Il faut le tirer par les pieds hors de la scène. Les clients du cabaret s'affolent, ils pensent que le garçon déguisé est mort sur scène, du sida. Ils se lèvent dans le désordre, renversent les tables, se sauvent en troupeau. C'est cette nuit-là qu'il a reconnu, parmi ceux qui prenaient la fuite, un homme de la villa dans les rochers, comme une île au milieu des vagues. Il n'a pas hésité. Il a couru vers lui et il l'a poignardé, au moment où il allait disparaître au coin de la rue. L'homme est tombé. Du sang a coulé sur les chaussures à paillettes de Mourad.